Wie schreibt man das? (Seite 6–7

1 **Quiz! Schreib die Zahlen auf. Schreib dann die Sätze auf!**

1 52 W in einem J   **a** _zweiundfünfzig_

                              b _52 Wochen in einem Jahr_

2 24 S an einem T   **a** _____

                              b _____

3 60 M in einer S   **a** _____

                              b _____

4 7 T in einer W   **a** _____

                              b _____

5 365 T in einem J   **a** _____

                              b _____

2 **Lies den Text und beantworte die Fragen unten.**

> Hi! Ich heiße Richard Wendlinger und ich bin fünfundvierzig Jahre alt.
> In meiner Familie gibt es auch meine Frau, Birgit und meine Tochter,
> Silvia. Silvia ist sechzehn Jahre alt und Birgit ist dreiundvierzig. Und zum
> Schluss mein Sohn, Harald. Harald ist jetzt fast erwachsen, er ist
> nämlich neunzehn, aber er wohnt immer noch bei uns.

1 Wie heißt diese Person?   _Er heißt Richard._

2 Wie schreibt man „Richard"? _____

3 Wie heißt seine Frau? _____

4 Wie heißt seine Tochter? _____

5 Wie alt ist sein Sohn? _____

6 Wie alt ist Richard? _____

3 **Und du? Gib Infos über deine Familie. Schreib ungefähr 50 Wörter.**

Ich heiße Chloë und ich bin ...

_____

_____

_____

_____

> Ich heiße ...
> Ich bin ...
> In meiner Familie gibt es ...
> Ich habe ...
> Mein Bruder / Meine Schwester heißt ...
> Er / Sie ist ...

© Heinemann Educational 2001

Das Familienspiel (Seite 8–9)

1 **Bist du ein Tierfreund? Lies die kurzen Interviews unten – was passt zusammen?**

> Gar nicht! Ich hasse Haustiere! Meine Schwester hat eine kleine Katze (Mitzi – wie doof!), aber ich selber habe keine Haustiere. Und ich möchte keine Haustiere haben!
>
> *Rudi, 17*

> Ja! Ich liebe Tiere! Ich habe zwei Kaninchen und einen Hamster und ich möchte gern ein Meerschweinchen haben. Mein Bruder hat drei Fische, aber Fische sind langweilig!
>
> *Sonja, 16*

> Ich mag Tiere ziemlich gern, aber ich habe noch kein eigenes Tier. Mein Vater hat einen Hund und meine Mutter hat ein Pferd, aber sie sagen, dass ich zu jung bin. Unfair, oder?
>
> *Arno, 15*

1	Rudi hat	**a**	einen Hund.
2	Rudis Schwester hat	**b**	einen Hamster.
3	Sonja hat	**c**	keine Haustiere.
4	Sonjas Bruder hat	**d**	eine Katze.
5	Arnos Vater hat	**e**	drei Fische.

2 **Lies den Brief und kreuz die richtigen Antworten an.**

> Hi Daniel!
>
> Danke für deine E-Mail. Es freut mich auch, dein Brieffreund zu sein. Du fragst mich über meine Familie: hier sind einige Infos über sie. Mein Vater heißt Ulrich und er ist achtunddreißig Jahre alt. Meine Mutter heißt Bettina und sie ist erst dreiunddreißig Jahre alt – jung, oder?
>
> Die Familie ist groß – ich habe viele Geschwister und meine Großeltern wohnen auch bei uns. Meine Oma heißt Anke und mein Opa heißt Olaf. Ich habe drei Schwestern und einen Bruder. Meine Schwestern heißen Inge, Meike und Ilona. Die älteste, Inge, ist dreizehn. Meike ist zehn und Ilona ist erst vier Jahre alt – noch ein Baby, also!
>
> Schreib bald zurück!
>
> Thomas

1	Thomas erzählt von seiner Familie.	✔
2	Seine Mutter ist älter als seinen Vater.	☐
3	Thomas' Großeltern wohnen bei ihm.	☐
4	Seine Oma heißt Olaf.	☐
5	Thomas älteste Schwester ist dreißig.	☐
6	Thomas' jüngste Schwester heißt Ilona.	☐

3 **Schreib eine Antwort an Thomas. Gib Infos über deine eigene Familie.**

Hi Thomas

Danke für deine E-Mail ...

So sehe ich aus (Seite 10–11)

1 Das Personal deiner freundlichen Bank stellt sich vor! Wer ist wer?

a   b   c   d   e

Dennis   _____   _____   _____   _____

Herzlich willkommen bei der Wucherbank Pforzheim! In unserer Bank arbeiten fünf Leute. Die jüngste ist Magdalena. Sie ist fünfundvierzig Jahre alt und hat sehr lange, schwarze Haare und grüne Augen. Sie ist groß und gar nicht schlank. Der Boss ist Manfred. Manfred hat eine Glatze und einen schwarzen Schnurrbart. Er ist ziemlich dick und er ist fünfundfünfzig Jahre alt. Die älteste Person in der Bank ist Angela. Angela ist sechzig Jahre alt und hat kurze, blonde Haare. Sie ist ziemlich schlank und ziemlich klein. Andreas, unser „Komiker", hat einen Bart und ziemlich kurze, graue Haare. Er ist achtundfünfzig Jahre alt und mittelgroß. Dennis, der Sekretär, hat lange, braune Haare und einen Schnurrbart. Er ist fünfzig Jahre alt und er ist absolut nicht dick!

---

2 Lies nochmal und vervollständige die Sätze.

1 Die jüngste Person in der Bank ist _Magdalena._____

2 Manfred hat _____ und _____

3 Der Boss ist _____

4 Dennis hat _____ und _____

5 Magdalena hat _____

6 Andreas ist _____ Jahre alt. Er ist

    _____

3 Kannst du jetzt eine Gruppe Leute beschreiben?

_In unserer Schule arbeiten drei Sprachlehrer ..._____

_____

_____

_____

Der/die jüngste ist ...	Er/sie hat ...
Der/die älteste ist ...	Er/sie ist ...
Er/sie ist ... Jahre alt.	

Mein Zuhause (Seite 12–13)

1 **Lies die E-Mail und ordne die Bilder.**

An: katharina.schmidt@heisspost.de
Von: sofia.hansen@abol.de
Betreff: Ferienwohnung

Katharina - Hi!

Die Reise und das Wetter waren furchtbar, aber wir sind endlich angekommen!
Es gibt aber eine sehr kleine Küche und dort gibt es nur einen Herd. Es gibt
keinen Kühlschrank und keine Spülmaschine. Und keine Waschmaschine!

Hier gibt es sonst nur ein kleines Wohnzimmer und ein Schlafzimmer. Es gibt
keinen Flur und keine Garage. Außerdem gibt es kein Badezimmer - nur eine
Dusche im Schlafzimmer. Im Wohnzimmer gibt es zwei Sessel und einen
Fernseher (kaputt!). Es gibt kein Sofa.

Im Schlafzimmer gibt es diese Dusche und das Bett. Und das ist alles. Es
gibt keinen Tisch und keinen Kleiderschrank. Und die Heizung ist kaputt. Wir
sind total steifgefroren…

Bis bald, Sofia

a   ☐
b   ☐
c   1
d ☐
e ☐
f   ☐

2 **Geld zurück? Lies nochmal und vervollständige die Sätze unten.**

1   In der Küche gibt es _____ Herd, aber _____ Kühlschrank.

2   In der Wohnung gibt es nur ein _____ Wohnzimmer.

3   Es gibt _____ Garage.

4   Im Schlafzimmer gibt es eine _____ und ein _____, aber
    keinen _____ oder _____.

3 **Stell dir vor, du hast eine furchtbare Wohnung gemietet!**
Vervollständige den Text, um sie zu beschreiben.

Liebe(r) _Paul_ !

Wir sind jetzt in unserer Ferienwohnung, aber sie ist nicht schön! Es gibt eine
schmutzige _Küche_ und dort gibt es nur _____ _____. Es gibt kein__ _____,

kein__ _____ und kein__ _____. Und _____ ist kaputt! Hier gibt es sonst nur _____

_____ und _____ . Es gibt kein__ _____.

Im _____ gibt es _____ und _____. Und _____ ist kaputt!

Bis bald, _____

Mein Zimmer (Seite 14–15)

1 **Lies die Texte und wähle drei Möbelstücke für jede Person.**

JUGENDMAG FRAGT ... „Wie ist dein Zimmer?"

1 In meinem Schlafzimmer habe ich einen großen Kleiderschrank, einen Toilettentisch, wo ich mein Make-up machen kann, und einen blauen Nachttisch.
Sunny, 16

2 Mein Schlafzimmer ist ziemlich klein und dort gibt es nicht viele Möbelstücke. Es gibt nur ein Bett, einen Fernseher und einen alten, roten Stuhl.
Melanie, 17

3 Mein Schlafzimmer gefällt mir sehr. Es ist ein großes Zimmer und dort habe ich meinen neuen Computer, meine Stereoanlage und ein Bücherregal.
Vijay, 15

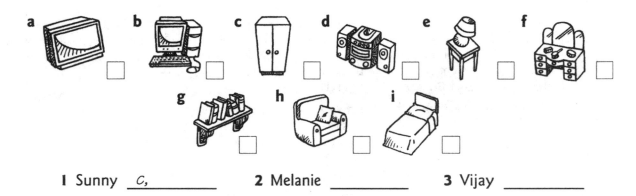

a   b   c   d   e   f

g   h   i

1 Sunny _c,_   **2** Melanie _____   **3** Vijay _____

2 **Lies den Text und beantworte die Fragen unten auf Deutsch.**

In meinem Traumschlafzimmer sind die Farben meistens hell – ich mag keine bunten Farben. Die Gardinen sind rosa und die Wände sind weiß. Der Teppich ist hellblau und er wird sehr schnell schmutzig! Im Zimmer gibt es ein großes Doppelbett (für mich und meine Plüschtiere!) und neben dem Bett gibt es einen weißen Nachttisch für meinen Wecker und mein Buch.

Gegenüber von meinem Bett gibt es einen Kleiderschrank für meine Kleider und neben dem Kleiderschrank gibt es ein Bücherregal. Auf dem Bücherregal gibt es keine Bücher, sondern meine CDs – mehr als zweihundert CDs!

1 Welche Farbe haben die Gardinen?   *Die Gardinen sind rosa.*

2 Was gibt es neben dem Bett?   _____

3 Wo steht der Nachttisch?   _____

4 Was steht gegenüber vom Bett?   _____

5 Was gibt es auf dem Nachttisch (zwei Dinge)?   _____

3 **Jetzt bist du dran! Beschreib dein eigenes Traumschlafzimmer!**

In meinem Traumschlafzimmer gibt es ...

Hausarbeit (Seite 16–18)

1 Ferien in der Jugendherberge – wer muss was machen?

Ferien – nein danke!

Interviews in einer Jugendherberge

Die Mitglieder vom Osnabrücker Jugendklub verbringen eine Woche in einer Jugendherberge im Teutoburger Wald, aber eigentlich macht es ihnen nicht so viel Spaß, weil es so viel Hausarbeit gibt.

Claudia muss bügeln und Staub saugen. Das ist nicht so schlecht – sie hasst Bügeln, aber sie mag Staubsaugen. Es macht Spaß!

Amrit muss abwaschen und abtrocknen und sie mag das nicht sehr gern. Sie hat auch viele Hausaufgaben mitgebracht und sie ist immer müde.

Tommy und Tobias kochen und decken zusammen den Tisch, und sie mögen das sehr gern, obwohl die anderen das Essen schrecklich finden …

Bianca kauft normalerweise ein. Das mag sie gern, weil sie interessante Dinge kaufen kann. Die Tüten sind aber unglaublich schwer.

Florian räumt meistens den Jungenschlafraum auf, aber er hasst Aufräumen! Er findet es zu schwierig, weil es Klamotten überall gibt.

Tamara räumt den Mädchenschlafraum auf, das findet sie nicht so schlecht, weil der Schlafraum etwas kleiner ist.

Und Nadja macht nichts. Sie hat sich letzte Woche das linke Bein gebrochen …

1 Claudia _muss Bügeln und Staub saugen._ _____

2 Amrit _____

3 Tommy und Tobias _____

4 Bianca _____

5 Florian _____

6 Tamara _____

7 Nadja _____

2 Lies nochmal – wer mag welche Hausarbeit (nicht)?

Claudia hasst Bügeln, aber sie mag Staub saugen. _____

_____

3 Die Mitglieder der Familie Fauli arbeiten nicht gern! Schreib über sie! Wer muss was machen? Mag er/sie das (nicht)?

Karl Fauli muss einkaufen. Er hasst Einkaufen … _____

_____

Sprechen

You will be asked questions like these in the GCSE exam. Fill in the answers that are true for you, and then practise BOTH until you know them very well. Don't forget – it is very important to be able to understand the questions. It's no good being able to give the answer if you don't understand the question!

1 Wie heißt du und wie schreibt man das?

_____

2 Wie alt bist du und wann hast du Geburtstag?

_____

3 Und wo wohnst du? Wo liegt das?

_____

4 Hast du Geschwister? Gib Infos über sie.

_____

_____

5 Hast du Haustiere? Wenn ja, beschreib sie. Wenn nein, sag warum.

_____

6 Wie siehst du aus? (Haare, Größe, Augen, usw.)

_____

_____

7 Wo liegt dein Haus? Beschreib es.

_____

8 Hast du ein eigenes Zimmer? Beschreib dein Zimmer.

_____

9 Hast du viele Freunde? Beschreib einen Freund/eine Freundin.

_____

_____

10 Wie kommst du mit deinen Eltern aus?

_____

11 Wie findest du das Leben zu Hause? Hast du viel Freiheit?

_____

_____

Grammatik

1 What goes together?

1 Er	seid	meine Freunde
2 Meine Eltern	ist	alle sechzehn Jahre alt
3 Wir	ist	so doof!
4 Mein Kaninchen	sind	acht Jahre alt
5 Ihr	sind	geschieden

2 Write sentences.

1 14/5 *Mein Geburtstag ist am vierzehnten Mai.*

2 7/11 _____

3 13/12 _____

4 12/1 _____

| am dreizehnten Dezember | am siebten November | am zwölften Januar | am vierzehnten Mai |

3 Translate into German.

> Er hat blau**e** Augen.
> Seine Augen sind <u>blau</u>.

1 I have blue eyes. *Ich habe blaue Augen.* _____

2 She has brown hair. _____

3 His hair is grey. _____

4 He has green eyes. _____

5 My mother has blue eyes. _____

6 His sister has blonde hair. _____

4 Complete these sentences. Use the verb "haben".

Ich habe *braune Haare.* _____

Hast du _____?

Er _____

Wir _____

Sie _____

Haben _____?

Meine Schule (Seite 24–25)

1 **Lies den Prospekt über die Martin-Luther-Schule und beantworte die Fragen unten. Ganze Sätze, bitte!**

Die Martin-Luther-Schule

Die Martin-Luther-Schule ist ein Gymnasium und ist nicht weit von Friedrichshafen entfernt. Unsere Schule ist sehr schön und ziemlich modern (sie existiert seit 25 Jahren). In der Schule gibt es drei neue Labors, dreißig Klassenzimmer, eine Aula, eine moderne Bibliothek mit zwanzigtausend Büchern und wir haben einen großen Schulhof, wo wir Fußball spielen können.

I Was für eine Schule ist die Martin-Luther-Schule?

_____

2 Seit wann existiert die Schule? _____

3 Wie viele Labors gibt es? _____

4 Wie viele Klassenzimmer gibt es? _____

5 Wo kann man Fußball spielen? _____

2 **Eine andere Meinung. Mach eine Liste der Unterschiede.**

Die Martin-Luther-Schule

Die Martin-Luther-Schule ist ein Gymnasium und liegt 50 km von Friedrichshafen entfernt. Unsere Schule ist hässlich und sie sieht sehr alt aus (obwohl sie nur 25 Jahre alt ist!). In der Schule gibt es drei alte Labors, dreißig Klassenzimmer, eine Aula, eine alte Bibliothek mit nur zehntausend Büchern und wir haben einen Schulhof, der so klein ist, dass man dort nichts machen kann!

Prospekt der Lehrer(innen)	Prospekt der Schüler(innen)
Die Schule ist nicht weit von Friedrichshafen entfernt.	_Die Schule liegt 50 km von Friedrichshafen entfernt._

3 **Jetzt schreib einen Prospekt für deine Schule. Er sollte richtig sein.**

Aneurin Bevan Community College liegt nicht weit von Port Talbot ...

Welche Fächer hast du? (Seite 26–27)

1 Meinungen über die Schule – lies den Artikel und beantworte die Fragen unten.

JUGENDMAG FRAGT... „Wie findest du die Schule?"

Ehrlich gesagt, finde ich die Schule todlangweilig, weil die meisten Stunden zum Einschlafen sind!

Ich finde den Montagmorgen furchtbar, weil wir Sport haben. Ich hasse Sport, weil ich absolut nicht sportlich bin. Montagnachmittag ist kaum besser, weil wir Physik haben, und Physik extrem langweilig ist!

Mittwoch ist nicht schlecht – am Vormittag haben wir Englisch, und ich mag das, weil ich es ziemlich einfach finde. Aber der Nachmittag ist besser, weil wir keine Schule haben ...

Manfred G, 16, Ulm

---

1 Warum findet Manfred die Schule todlangweilig?

  Weil die meisten Stunden zum Einschlafen sind. _____

2 Warum findet Manfred Montagmorgen furchtbar? _____

3 Warum hasst Manfred Sport? _____

4 Warum mag Manfred Physik nicht? _____

5 Warum mag Manfred Englisch? _____

6 Warum mag Manfred den Mittwochnachmittag? _____

2 Beantworte die folgenden Fragen. Benutze „weil".

1 Wie findest du die Schule und warum? _____

2 Was ist dein Lieblingsfach und warum? _____

3 Welchen Tag magst du am wenigsten und warum? _____

4 Wie findest du das Wochenende und warum? _____

3 Welche Tage und Fächer magst du und warum? Schreib ungefähr 75 Wörter darüber.

  Für mich ist der beste Tag der

  Woche Dienstag ...

  _____

  _____

Ich finde die Schule ...
Der schlimmste Tag der Woche ist ...
Der beste Tag ist ...
Ich finde ... ..., weil wir ... haben.
... ist ziemlich ..., weil ...

Der Schultag (Seite 28–29)

1   Ist das in England „E" oder in Deutschland „D"?

Hi Klaus!

Der Englandaustausch war letzte Woche und ich habe mit meinem Brieffreund seine Schule besucht. Das war … interessant!

… der Bus ist <u>nie</u> pünktlich, und er muss normalerweise zehn oder fünfzehn Minuten im Regen warten! Hier in Hannover ist die Straßenbahn immer pünktlich.

Zwischen neun Uhr und Viertel nach neun gibt es eine langweilige Vollversammlung, („Assembly" auf Englisch), und die Stunden fangen erst um zwanzig nach neun an!

In England sind die Stunden etwas kürzer als hier (35 Minuten statt 45 Minuten) – aber sie haben <u>acht</u> Stunden pro Tag, nicht fünf oder sechs Stunden, wie hier.

In England gibt es so viele Pausen! Es gibt zwei große Pausen und eine Mittagspause (drei Pausen – zwei Stunden insgesamt!) – aber in den großen Pausen gibt es nichts zu tun … Das Wetter ist normalerweise furchtbar und die Kinder stehen draußen und streiten sich! Viel besser, kurze Pausen zu haben und um ein Uhr nach Hause zu gehen wie hier, oder?

In England ist die Schule erst um vier Uhr aus – aber sie lernen sehr wenig, weil die Pausen so lang sind! Komisch …

Schreib bald zurück, Dennis

1   Es gibt eine langweilige Vollversammlung. ____

2   Die Stunden dauern 45 Minuten. ____

3   Es gibt acht Stunden pro Tag. ____

4   Es gibt zwei große Pausen und eine Mittagspause. ____

5   Man geht um ein Uhr nach Hause. ____

2   Beantworte die Fragen auf Deutsch. Ganze Sätze, bitte!

1   Wann beginnt die Schule in England? _____

2   Wann fangen die Stunden in England an? _____

3   Wie lange dauern die Stunden in England? _____

4   Was machen die englischen Kinder in den Pausen? _____

5   Wann ist die Schule in England aus? _____

3   Jetzt du! Beschreib deine ideale Schulroutine!

Ich stehe um zehn Uhr auf … _____

Ich stehe um … Uhr auf.	Es gibt kein(e)(n) …
Die Schule beginnt (erst) um … Uhr.	Die Stunden/Pausen dauern …
Ich fahre mit dem …	Das Essen ist …
Der/die/das ist immer …	Die Schule ist um … Uhr aus.

Meinungen über die Schule (Seite 30–31)

1 Schreib für jeden Satz „richtig", „falsch" oder „nicht im Text".

Hi Magda!

Ich bin auf Suneetas Gymnasium in England. Und hier ist es grausig …

Die Schüler sind meistens freundlich, aber ich finde die Lehrer viel zu streng. Und es gibt so viele doofe Regeln!

Die doofste Regel jedoch betrifft die Kleidung! Die Jungen müssen eine blaue Jacke, ein weißes Hemd, einen Schlips und eine graue Hose tragen. Sie sehen wie kleine Geschäftsmänner aus …

… aber für die Mädchen ist es noch schlimmer! Sie dürfen keine Hose tragen (sexistisch, oder?) und sie müssen einen furchtbaren, grauen Rock, diese blaue Jacke und eine weiße Bluse tragen. Und auch einen Schlips! Sie sehen so doof aus! Diese Schuluniform finde ich unheimlich hässlich!

Die schlimmste Regel ist, dass man kein Handy mit in die Schule bringen darf! Sie stören, heißt es! Hi hi hi!

Bald komme ich nach Hause und ich kann's kaum abwarten!

Liebe Grüße, Petra

---

1 Petra ist in Suneetas Schule sehr zufrieden. _____

2 In Suneetas Schule gibt es viele doofe Regeln. _____

3 Die Jungen sehen wie Geschäftsmänner aus. _____

4 In Suneetas Schule dürfen die Mädchen eine Hose tragen. _____

2 Lies nochmal und beantworte die Fragen unten. Ganze Sätze, bitte.

1 Wie findet Petra die Kinder in Suneetas Schule? _____

2 Wie findet sie die Lehrer in England? _____

3 Beschreib die Schuluniform der Jungen. _____

4 Beschreib die Schuluniform der Mädchen. _____

5 Welche Regel ist für Petra die schlimmste? _____

3 Schreib die Regeln einer „Alptraumschule" auf. Was darf man nicht machen? Wie sind die Lehrer? Und wie findest du die Regeln?

In der …-Schule darf man …   Die Lehrer sind …   Die Stunden sind …
Dort muss man …   Die Schüler sind …   Die Pausen dauern …
Die Schule fängt um …   Die Kantine ist …   Dort gibt es (kein(e)(n)) …

Pläne (Seite 32–33)

1 Zukunftspläne. Richtig oder falsch?

JUGENDMAG FRAGT …

„Was möchtest du nächstes Jahr machen?"

Die Schule interessiert mich nicht mehr! Ich will nicht Abitur machen. Ich möchte arbeiten gehen. Hoffentlich finde ich einen Job …

Tina, 16

Zuerst möchte ich Urlaub machen. Ich hoffe, mit meiner Freundin in die USA zu fahren. Danach – wer weiß? Ich werde vielleicht eine Lehre machen.

Julia, 17

Dieses Jahr verlasse ich die Schule. Ehrlich gesagt habe ich die Nase voll. Ich weiß aber noch nicht, was ich danach machen werde.

Martin, 16

Für mich ist die Frage ganz einfach. Ich finde die Schule toll und deshalb hoffe ich, in die Oberstufe zu gehen und Abitur zu machen.

Jessika, 17

Ich weiß noch nicht genau, was ich machen werde, aber vielleicht werde ich die Schule verlassen und in Berlin eine Lehre machen.

Torsten, 16

Ich möchte in einer Großstadt studieren. Ich wohne nicht gern auf dem Land, und ich will nach München fahren und dort die Oberstufe besuchen.

Nadine, 17

1 Tina möchte arbeiten gehen. *Richtig*

2 Julia hofft, in die USA zu fahren. _____

3 Martin mag die Schule sehr. _____

4 Jessika hofft, in die Oberstufe zu gehen. _____

5 Torsten ist sich sicher, dass er eine Lehre machen wird. _____

6 Nadine möchte in München studieren. _____

2 Lies nochmal und beantworte die Fragen unten.

1 Was will Tina NICHT machen? *Sie will nicht Abitur machen.*

2 Wohin hofft Julia zu fahren? _____

3 Warum will Martin die Schule verlassen? _____

4 Wie findet Jessika die Schule? _____

5 Wo wird Torsten vielleicht eine Lehre machen? _____

6 Was will Nadine in München machen? _____

3 Und du und deine Freunde und Freundinnen? Was möchtet ihr machen? Schreib 100 Wörter darüber.

Mein Freund Paul möchte …

_____

Sprechen

Fill in your answers, then practise and learn both questions and answers.

Try to answer in sentences. If a question is "open-ended" (in other words, you could say as little or as much as you want), try to say more than just "yes" or "no", and try to give some interesting information and opinions.

1 Wie heißt deine Schule? Was für eine Schule ist das?

_____

2 Beschreib die Schule (Größe, Alter, usw.)

_____

3 Wie viele Schüler/Lehrer gibt es in der Schule?

_____

4 Wie findest du die Lehrer? Und die Schüler?

_____

5 Beschreib deinen idealen Lehrer/deine ideale Lehrerin. Und deinen „Alptraumlehrer"/deine „Alptraumlehrerin"! _____

_____

6 Welche Fächer hast du? Wie findest du sie?

_____

7 Beschreib einen typischen Schultag.

_____

8 Musst du eine Uniform tragen? Wie findest du das?

_____

9 Vergleich die Schule in Großbritannien/Irland mit der Schule in Deutschland. Welches Schulsystem ziehst du vor? _____

_____

10 Wie findest du gemischte Schulen?

_____

11 Was würdest du machen, wenn du Schuldirektor(in) wärst?

_____

12 Was möchtest du nach den Prüfungen machen? Was sind deine Zukunftspläne?_____

_____

Grammatik

M	F	N
mein	meine	mein
dein	deine	dein

1 **Answer the following questions. Then make up five similar questions.**

1 Was ist dein Lieblingsfach?   *Mein Lieblingsfach ist Deutsch.*

2 Was ist deine erste Stunde am Mittwoch?   _____

3 Wie heißt deine Schule?   _____

4 Wie heißt dein Deutschlehrer?   _____

5 Welches ist dein bestes Fach?   _____

_____

_____

_____

_____

_____

2 **Translate into German.**

1 My school has a big assembly hall.
Meine Schule hat eine große Aula.

2 There is also a big school yard.

_____

3 We have a computer room.

_____

4 My school has a big sports hall.

_____

5 There is a new laboratory.

_____

es gibt …
ich habe …
du hast + *Akkusativ*
er/sie/es hat … (usw.)
Meine Schule hat einen Schulhof.
Es gibt eine große Aula.

3 **What will you do next year? Write down sentences.**

Ich mache eine Lehre.   _____

_____

_____

_____

_____

Ich gehe auf die Uni.
Ich verlasse die Schule.

Hobbys (Seite 40–41)

1   Wähl zwei Bilder für jede Person.

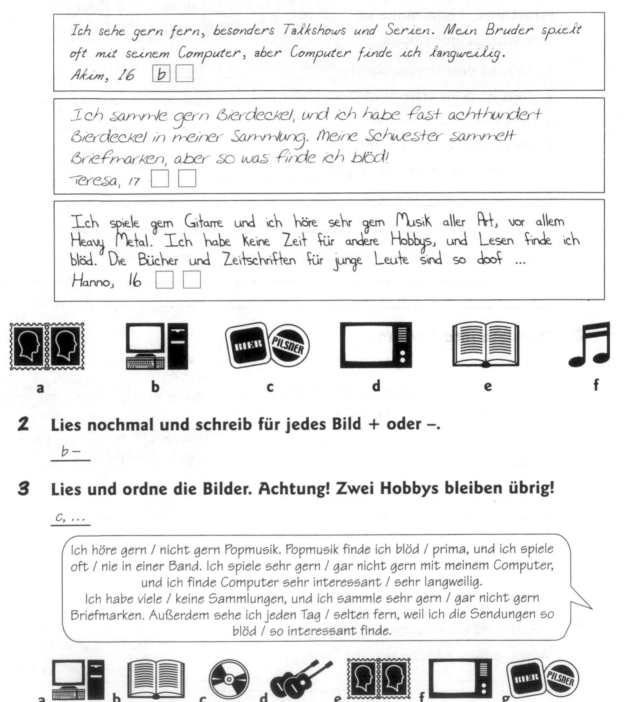

> Ich sehe gern fern, besonders Talkshows und Serien. Mein Bruder spielt oft mit seinem Computer, aber Computer finde ich langweilig.
> Akim, 16   b ☐

> Ich sammle gern Bierdeckel, und ich habe fast achthundert Bierdeckel in meiner Sammlung. Meine Schwester sammelt Briefmarken, aber so was finde ich blöd!
> Teresa, 17   ☐ ☐

> Ich spiele gern Gitarre und ich höre sehr gern Musik aller Art, vor allem Heavy Metal. Ich habe keine Zeit für andere Hobbys, und Lesen finde ich blöd. Die Bücher und Zeitschriften für junge Leute sind so doof ...
> Hanno, 16   ☐ ☐

a   b   c   d   e   f

2   Lies nochmal und schreib für jedes Bild + oder –.

b –

3   Lies und ordne die Bilder. Achtung! Zwei Hobbys bleiben übrig!

c, ...

> Ich höre gern / nicht gern Popmusik. Popmusik finde ich blöd / prima, und ich spiele oft / nie in einer Band. Ich spiele sehr gern / gar nicht gern mit meinem Computer, und ich finde Computer sehr interessant / sehr langweilig.
> Ich habe viele / keine Sammlungen, und ich sammle sehr gern / gar nicht gern Briefmarken. Außerdem sehe ich jeden Tag / selten fern, weil ich die Sendungen so blöd / so interessant finde.

a   b   c   d   e   f   g

4   Schreib jetzt über deine Hobbys. Benutze den Text oben, und lass die Wörter aus, die für dich nicht wahr sind.

Ich höre gern Popmusik. Ich ...

Wir sehen fern (Seite 42–43)

1 **Kannst du Sendungen für die ganze Familie zwischen 18 und 20 Uhr finden?**

	ARD	ZDF	RTL
18.00	**Tagesschau** *Nachrichten*	**Bedrohte Tiere** *Tierfilm*	**Geld, Geld, Geld** *Quizsendung*
18.30	**Popeye** *Kindersendung*	**Unsere Straße** *Serie aus Berlin*	**Das Boot** *Kriegsfilm*
19.00	**Fußballwoche** *Sportsendung*	**Beethoven entdeckt** *Musiksendung*	**Komm rein** *Talkshow*
20.00	**Serbische Trümmer** *Dokumentarfilm*	**Küss mich** *Romantischer Film*	**Hits der Woche** *Musiksendung*

Martina hasst Quizsendungen, aber sie findet Tierfilme nicht schlecht.

Trixi mag Kindersendungen, aber sie hasst Serien.

Trixi kann klassische Musik nicht leiden, aber sie mag Talkshows.

Christine findet Sportsendungen zum Einschlafen, aber sie findet Talkshows nicht schlecht.

Rudi mag romantische Filme nicht, aber er interessiert sich ein bisschen für Musik.

Rudi hasst Serien und Kriegsfilme. Er findet Zeichentrickfilme nicht schlecht.

Christine kann Nachrichten nicht leiden, aber sie findet Tierfilme nicht schlecht.

Martina kann Dokumentarfilme und romantische Filme nicht leiden, aber sie findet Musik ziemlich interessant.

18.00 Bedrohte Tiere, _____

2 **Welche Sendungen sehen die Mitglieder deiner Familie (oder deine Freunde) gern? Und welche Sendungen hassen sie? Schreib ungefähr 75 Wörter darüber.**

Mein Bruder hasst Talkshows ... _____

_____

_____

_____

_____

Was hast du gemacht? (Seite 44–45)

1 **Lies Rainers Brief und unterstreiche seine Meinungen in blau und die Uhrzeiten in schwarz.**

An: manfred.wendlinger@wanadont.de
Von: rainer.burkhard@weltoffline.de
Betreff: Schule

Lieber Manfred!

Wie war dein Wochenende? Mein Wochenende war so-o-o-o langweilig! Am Freitagabend habe ich also nur ferngesehen. Das Programm war aber furchtbar – zwei doofe Quizsendungen und die Lotto. Ich bin um zehn Uhr ins Bett gegangen und am Samstagmorgen bin ich spät aufgestanden.

Um zwei Uhr bin ich mit dem Bus in die Stadtmitte gefahren, aber es gab in den Geschäften nichts Neues und ich habe nichts gekauft. Die Geschäfte hier sind langweilig. Um halb sechs bin ich nach Hause gefahren und habe Abendbrot gegessen. Danach habe ich wieder ferngesehen – aber das Programm war wieder furchtbar!

Der Sonntag war kaum besser. Am Morgen bin ich bis elf Uhr im Bett geblieben und habe gelesen (das Wetter war schon wieder furchtbar). Um elf Uhr bin ich aufgestanden, und ich habe mit meinem Computer gespielt. Um zwei Uhr bin ich nach Georgs Haus gegangen. Um sechs Uhr bin ich nach Hause gekommen und habe Abendbrot gegessen. Danach habe ich mein Buch gelesen und bin wiederum früh ins Bett gegangen. Nach so einem Wochenende war es spannend am Montag in die Schule zu gehen!

Bis bald, Rainer

2 **Beantworte die Fragen auf Deutsch. Ganze Sätze, bitte!**

1 Was hat Rainer am Freitagabend gemacht? _____

2 Wie war das Programm? _____

3 Ist er am Samstag früh aufgestanden? _____

4 Was hat er am Samstagmorgen gemacht? _____

5 Wohin ist er am Samstagnachmittag gefahren? _____

3 **Wie ...?**

1 findet Rainer Quizsendungen? _____

2 fand Rainer das Programm am Freitagabend? _____

3 findet Rainer die Lotto? _____

4 findet Rainer die Geschäfte in der Stadt? _____

5 war das Wetter am Sonntag? _____

Sport (Seite 46–47)

1 **Wer hat ein gutes Wochenende gehabt – und wer nicht? Schreib für jede Person „ja" oder „nein".**

1
Samstag, den 19. Juni
Am Wochenende bin ich zu Hause geblieben und habe meine Bücher gelesen. Ich habe keinen Sport getrieben. Es war toll.

2
Samstag, den 19. Juni
Am Wochenende sind meine Kusinen zu uns gekommen und wir haben Tennis gespielt und sind schwimmen gegangen. Das Wetter war schön und es hat Spaß gemacht.

3
Samstag, den 19. Juni
Am Wochenende bin ich mit meinem Freund Rollschuh gelaufen, aber wir sind viel zu weit gefahren und ich bin viel zu müde geworden. Ich habe es viel lieber, fernzusehen ...

4
Samstag, den 19. Juni
Dieses Wochenende habe ich sehr viele Hausaufgaben gehabt und ich bin nicht schwimmen gegangen. Ich habe kein Squash gespielt und ich bin nicht ins Fitnesszentrum gegangen.

2 **Sieh dir die Bilder an und schreib ein paar Wörter über die Hobbys von Matthias und Friedemann.**

Matthias: Ich bin sehr sportlich. Ich mag sehr gern ...

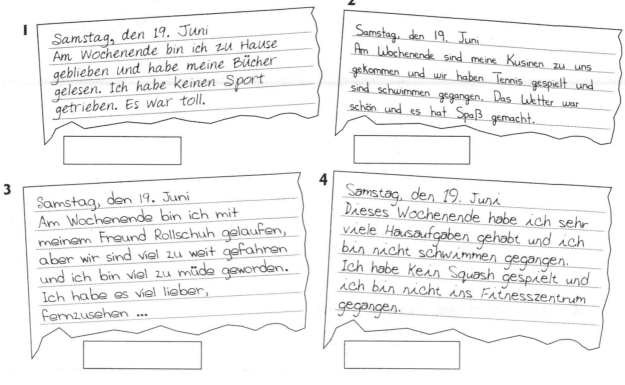

Matthias

jedes Wochenende

in den Ferien   im Winter

Friedemann

ab und zu

manchmal

3 **Jetzt beschreib das, was du am letzten Wochenende gemacht hast. War das ein gutes Wochenende oder nicht? Warst du enttäuscht oder zufrieden?**

Am Wochenende habe ich viele Hausaufgaben gemacht ...

enttäuscht – disappointed   zufrieden – happy, contented

Einladungen (Seite 48–49)

1 Ordne die Sätze richtig, um einen Dialog zu bilden.

a Der Film beginnt um acht; also treffen wir uns um fünf vor acht.

b Ein Krimi aus Amerika, glaube ich.

c Ein Krimi? Supertoll! Um wie viel Uhr treffen wir uns?

d Tschüs denn, Sascha.

f Hi Sascha! Hier ist Nina. Möchtest du heute Abend ins Kino gehen?

e Sascha Piëch am Apparat. 1

g Was läuft?

h Vor dem Kino, natürlich!

i Und wo treffen wir uns?

j Wir sehen uns um acht, also. Tschüs.

2 Schreib deinen eigenen Dialog!

Peter: Hi, Maria! Peter am Apparat! _____

Maria: … _____

3 Du hast einige Einladungen bekommen. Du möchtest aber keine akzeptieren! Wie viele Ausreden kannst du erfinden? Die Ideen unten werden dir helfen.

Es tut mir Leid. Ich kann nicht ausgehen, weil ich müde bin. _____

müde?   krank?   Katze ist krank?

Haare waschen?   kein Geld?   Kopfschmerzen?

zu viele Hausaufgaben?   Ausgehverbot?

dich nicht leiden kann(!!)

Sprechen

Fill in your answers and then practise and learn both questions and answers to prepare for your speaking exam.

1 Was machst du gern in deiner Freizeit? Warum?

_____

2 Wie oft machst du das? Mit wem? Und wo?

_____

3 Was machst du gar nicht gern? Warum?

_____

4 Bist du sportlich? Nenne Gründe für deine Antwort.

_____

5 Hörst du gern Musik? Nenne Gründe für deine Antwort.

_____

6 Spielst du ein Instrument? Warum (nicht)?

_____

7 Liest du gern? Warum (nicht)?

_____

8 Siehst du gern fern? Warum (nicht). Wie findest du das Fernsehen in England?

_____

_____

9 Welche Sendungen magst du (nicht)? Warum?

_____

_____

10 Was hast du am letzten Wochenende gemacht? Wie war es?

_____

_____

11 Was hast du in den letzten Ferien gemacht? Wie war es?

_____

_____

12 Was machst du, wenn du zu Hause alleine bist? Und mit Freund(inn)en?

_____

Grammatik

1   **Write sentences. Look at the pictures and say what you like doing and what you don't like doing.**

1   *Ich gehe nicht gern ins Theater.*

2   _____

3   _____

4   _____

5   _____

2   **Translate into German.**

1   Would you like to go to the cinema?   *Möchtest du ins Kino gehen?*

2   The supermarket is behind the cathedral.   _____

3   We'll meet in front of the cinema.   _____

4   I'm going into town.   _____

5   Shall we go to the youth club?   _____

6   She is in the youth club.   _____

3   **Invent excuses. Use "weil".**

Ich kann nicht ins Kino gehen, weil ich müde bin.

_____

_____

_____

_____

_____

_____

_____

_____

| **können** |
| ich **kann**   ich **kann** nicht |

Woher kommst du? (Seite 56–57)

1 **Lies die Berichte von Agent(inn)en 001 bis 004 und füll die Tabelle für H, den Spionchef, aus.**

Spion Nr.	Land	Stadt	Wetter	Temperatur	Nationalität des /der Verfolgten
001	Schweden				
002					
003					
004					

Lieber H!

Ich bin in Stockholm, in Schweden. Hier passiert nicht viel und das Wetter ist furchtbar – sehr kalt und regnerisch. Die Temperatur beträgt sechs Grad. Ich suche unseren „Freund" Knut, aber ich kann ihn nicht finden. Er ist nämlich Schwede und kommt aus Stockholm.

Viele Grüße

001

FAX

H!
Hier in Paris, in Frankreich, ist unheimlich viel los. Es ist sehr schwer, unserem Verdächtigen, dem bekannten Franzosen Louis B, zu folgen. Außerdem ist das Wetter nicht sehr gut – im Moment ist es sehr neblig, und die Temperaturen sind sehr kalt.
Viele Grüße
002

Hi, H!

Ich habe keine Probleme, meinem Verdächtigen auf der Spur zu bleiben. Er heißt Carlo Bandini und er ist ein Italiener aus Neapel. Im Moment ist das Wetter herrlich und sonnig, und die Temperatur beträgt fast dreißig Grad. Hier in Rom ist es sonnig und warm und deshalb ist es leicht, Carlo unter den Leuten zu finden.

Tschüs

003

FAX

Grüß Gott, H!
Hier in der Schweiz schneit es schon seit drei Tagen. Es liegt fast ein Meter Schnee und es ist sehr kalt, bei einer Temperatur von minus 2 Grad. Unsere Verdächtige ist eine Schweizerin und im Moment fährt sie hier in Klosters Ski. Ich bin auch Ski gefahren, so dass ich ihr folgen kann.
Herzliche Grüße
004

2 **Hier ist der Wetterbericht für den 20. Juni. Was heißt auf Deutsch:**

1   with scattered showers

2   with a gentle wind

3   highest temperatures

4   fair to cloudy

5   cool and dry

Im Norden leicht bewölkt mit einzelnen Schauern. Tageshöchsttemperaturen von fünfzehn bis achtzehn Grad. Im Süden und Westen heiter bis wolkig mit schwachem Wind aus östlicher Richtung. Höchsttemperaturen neunzehn bis zwanzig Grad. Im Osten heiter und sonnig mit Tageshöchsttemperaturen von fünfundzwanzig Grad. Nachts kühl und trocken.

Wohin fahren wir? (Seite 58–59)

1 Was passt zusammen?

1 Ich möchte gern nach Amerika fliegen.

2 Wir möchten in die Berge fahren.

3 In den Ferien möchte ich nach Mallorca fahren.

4 Am Wochenende werde ich in einen Ferienpark fahren.

a Da kann man in der Sonne liegen.

b Da kann man das „White House" sehen.

c Dort kann man abends in die Disco gehen und tanzen.

d Dort kann man schön wandern und Ski fahren.

2 Füll die Lücken mit „in Schottland" oder „in Mallorca" aus.

> Mein Traumurlaub? Ich möchte nach Schottland fahren. Dort sind die Leute freundlich. Das Wetter ist oft schlecht, aber in Schottland kann man so viel machen. Man kann in die Berge fahren, Ski fahren, Mountain Bike fahren, wandern gehen und so weiter.

Anton, 17

Katja, 16

> Mein Traumurlaub wäre, nach Mallorca zu fahren. In Mallorca gibt es viele schöne Strände, wo man schwimmen kann. Die Städte sind lebendig und es gibt überall Restaurants und Kneipen, wo man „Tapas" essen kann.

1 *In Schottland* ist das Wetter oft schlecht.

2 _____ gibt es viele schöne Strände.

3 _____ kann man in die Berge fahren.

4 _____ gibt es Restaurants, wo man „Tapas" essen kann.

5 _____ kann man Mountain Bike fahren.

3 Was wäre dein Traumurlaub? Und warum? Schreib ein paar Sätze darüber. Die Sätze oben werden dir helfen.

Mein Traumurlaub: Ich möchte nach … _____

Ich möchte nach … fahren	Das Essen ist …
Dort sind die Leute …	Dort ist das Wetter oft/meistens …
Die Landschaft ist …	Man kann …

Unterkunft (Seite 60–61)

1   **Was sagt der Gast? Schreib die englischen Sätze auf Deutsch auf.**

Empfangsperson: Guten Abend. Was darf es sein?

Gast: <u>Guten Abend. Haben Sie ein Zimmer frei?</u>

Empfangsperson: Doppelzimmer oder Einzelzimmer?

Gast: *A double room please.* _____

Empfangsperson: Moment mal … ja, wir haben ein Doppelzimmer im
zweiten Stock frei.

Gast: *Is that with a shower?* _____

Empfangsperson: Nein, nicht mit Dusche. Mit Bad.

Gast: *And has the room got TV, radio and a phone?* _____

_____

Empfangsperson: Es hat Fernsehen und Telefon, aber kein Radio.

Gast: *Good. And what does that cost per night?* _____

_____

Empfangsperson: Fünfundsiebzig Euro.

Gast: *What? That's expensive!* _____

Empfangsperson: Das Zimmer hat Kabelfernsehen und es gibt ein ausgiebiges
Frühstücksbuffet.

Gast: *O.K., we'll take the room. Can I pay with credit card?* _____

_____

Empfangsperson: Natürlich. Wir akzeptieren alle Kreditkarten.

Gast: *Here you are … oh yes, by the way – when is breakfast?* _____

_____

Empfangsperson: Von sieben Uhr bis zehn Uhr.

Gast: *Thank you.* _____

2   **Schreib deinen eigenen Dialog. Der Dialog oben wird dir helfen, wenn
du möchtest.**

Guten Tag. Kann ich Ihnen helfen? _____

_____

_____

_____

_____

Unterkunft (Seite 60–61)

1 **Sieh dir die Anzeigen unten an und wähl für jede Person ein Hotel.**

A
Hotel zum Dom
Historisches Hotel

Stadtmitte 5 Min.
Blick auf den Dom
Bahnhof 2 Min.
30 Doppelzimmer • 25 Einzelzimmer
Alle Zimmer mit Bad und Telefon
Seniorenermäßigung
Bierstube
Kegelbahn • Balkon
Terrasse • Mini-Bar
Bahnhofstr. 56, 67354 Oldendamm

B
Hotel Ibiza
Modernes Hotel

Am Stadtrand gelegen
Blick auf die Autobahn
Flughafen 5 Min.

300 Doppelzimmer   25 Einzelzimmer
Alle Zimmer mit Dusche, Fax,
Kabelfernsehen und Internetzugang
Kinderspielplatz
Weltberühmtes Restaurant
Sauna   Fitnessraum
Tiefgarage   Hallenbad

Am Ring 45, 37892 Neuburg

1 Frau B mag gern ruhige Hotels. Sie fährt immer mit der Bahn. [A]

2 Herr N ist 73 Jahre alt und hat nicht viel Geld. Außerdem ist eine schöne Aussicht für ihn sehr wichtig. [ ]

3 Fräulein F muss abends in ihrem Zimmer arbeiten und hat ihr Handy und ihren Laptop immer dabei. [ ]

4 Frau V hat ein Oldtimer-Auto und möchte es auf einem sicheren Parkplatz abstellen. [ ]

5 Der Darmstädter Kegelverein sucht ein Hotel, wo sie kegeln können. [ ]

6 Herr G ist Engländer. Er kann nicht gut rechts fahren und muss unbedingt ein Hotel in der Nähe des Flughafens finden. [ ]

7 Herr und Frau P haben drei Kinder und essen gern im Restaurant. [ ]

8 Herr C kommt aus Japan und möchte gern deutsches Bier probieren. [ ]

9 Fräulein S trainiert jeden Abend und sie geht auch gern schwimmen. [ ]

10 Herr J hat es gern, fernzusehen und Schnaps zu trinken. [ ]

2 **Schreib eine Anzeige für ein Hotel. Dann erfinde vier Leute mit bestimmten Wünschen und sag, ob sie dort Unterkunft finden können.**

Lucas ist Vegetarier. Er kann Unterkunft im Hotel zum Markt finden ...

Probleme mit der Unterkunft (Seite 62–63)

1   Lies den Brief und beantworte die Fragen auf Englisch.

> Sehr geehrte Damen und Herren!
>
> Ich komme im August mit meinem Mann nach Dortmund, und wir möchten in Ihrem Hotel übernachten. Wir möchten ein Doppelzimmer für zwei Nächte reservieren, zwischen dem 4. und dem 6. August. Es gibt aber einige wichtige Bedingungen:
>
> Wir sind beide Vegetarier. Außerdem isst mein Mann keinen Käse oder andere Milchprodukte. Ich habe einen kleinen Hund, Mitzi, der sehr süß und niedlich ist. Er muss immer unbedingt auf meinem Bett schlafen. Hoffentlich ist das in Ordnung.
>
> Zum Schluss nur noch eine Kleinigkeit: Hoffentlich haben Sie eine Tiefgarage. Wir wollen unser Auto KEINESFALLS auf der Straße abstellen, weil es ein neuer Mercedes ist.
>
> Mit freundlichen Grüßen, Gisela Palms

1 When is Mrs. Palms coming to the hotel (exact dates)? _4th – 6th August_

2 Does she want full board or accommodation only?_____

3 What dietary requirements do she and her husband have? _____

4 In addition, what extra dietary requirement does Mr. Palms have? _____

5 What kind of pet do the Palms have, and what must it do? _____

6 Why does Mrs. Palms not want to park her car on the street? _____

2   Frau Palms sitzt in ihrem Zimmer. Sie ist nicht zufrieden und will sich beschweren. Schreib ihren Brief für sie. Benutz die Sätze unten.

Sehr geehrte Damen und Herren!

Wir haben das Zimmer Nr. 15 in Ihrem Hotel. Leider haben wir einige

Probleme ...

Es gibt nur Fleisch zum Essen. Zum Frühstück – Salami; zum Mittagessen – Hackfleisch; zum Abendbrot – nochmal Salami.

Hunde sind in Ihrem Hotel nicht erlaubt. Mein Mitzichen muss im Auto schlafen.

Unser Auto hat einen Blechschaden bekommen, weil es auf der Straße steht.

Außerdem hat Mitzichen an den Sitzen vom Mercedes gekaut. Neue Sitze kosten €2000.00. Ich schicke Ihnen die Rechnung.

Die letzten Ferien (Seite 64–65)

1 **Lies die Texte und schreib auf Deutsch:**

- wohin jede Person gefahren ist
- eine positive Meinung über jeden Urlaubsort
- wie er/sie dorthin gefahren ist
- eine negative Meinung über jeden Urlaubsort

Michael ist nach Österreich gefahren.

> Ich bin mit dem Zug nach Österreich gefahren. Wir waren in einem Hotel in der Nähe von Salzburg. Die Landschaft war atemberaubend, aber das Hotel war sehr teuer!

Michael, 15, Dortmund

> Wir sind mit dem Auto nach Polen gefahren. Wir waren auf einem Campingplatz in der Nähe von Zakopane. Die Landschaft war schön, aber das Wetter war schlecht.

Rolf, 16, Augsburg

> Wir sind mit dem Flugzeug nach den USA geflogen. Wir waren in Motels in den 'Rockies'. Die Restaurants waren ausgezeichnet, aber die Motels waren nicht sehr gut.

Meike, 17, Osnabrück

2 **Lies die Texte und schreib eine Zusammenfassung von nicht mehr als 35 Wörtern von jedem Text.**

> Wir sind nach Italien gefahren. Wir waren in einem Wohnwagen auf einem Campingplatz in der Nähe von Ravenna. Wir sind mit dem Auto dorthin gefahren. Die Reise hat zwölf Stunden gedauert. Wir sind drei Wochen geblieben, und das Wetter war supertoll. Sehr heiß und kein Regen! Und Italien ist so schön!

Christa, 17

> Wir sind in die Niederlande gefahren. Wir sind mit dem Zug dorthin gefahren. Die Reise hat vier Stunden gedauert. Wir haben gezeltet und waren auf einem Campingplatz in der Nähe von Rotterdam. Wir sind eine Woche geblieben. Es war nicht schlecht, aber die Landschaft war sehr flach und das Wetter war ziemlich kalt.

Sibylle, 15

Christa ist mit dem Auto nach Italien gefahren ...

3 **Jetzt beschreib deine eigenen Ferien (wahr oder erfunden!). Schreib ungefähr fünfzig Wörter. Die Texte oben werden dir helfen.**

Wir sind nach Frankreich gefahren ...

Wir sind nach ...	Wir waren ...	Das Wetter war ...
Wir sind mit dem ...	Wir sind (eine Woche) ...	
Wir haben ...	Es war ...	

Urlaubsspaß (Seite 66–67)

1 Was passt zusammen?

1 Am ersten Tag bin ich in die Disco gegangen.

2 Gestern bin ich geschwommen.

3 Ich habe meine Ferien in Moskau verbracht.

4 Am ersten Tag haben wir in einem Restaurant gegessen.

5 Am letzten Tag der Ferien habe ich Tennis gespielt.

a Das Essen war furchtbar und der Kellner war unhöflich.

b Es war sehr interessant – mein erstes Mal in Russland!

c Es hat keinen Spaß gemacht, weil das Wasser so kalt war.

d Es war toll – ich tanze sehr gern.

e Das Spiel hat mir viel Spaß gemacht, obwohl ich nicht sehr sportlich bin.

2 Lies Heikes Postkarte und füll die Tabelle aus.

Hi, Manja!

Grüße aus Malaga! Wir sind am Montag hier in Spanien angekommen, und wir haben den ersten Tag im Hotel verbracht. Wir haben nur geschlafen. Nach der Reise waren wir so müde!

Am zweiten Tag sind wir früh aufgestanden und sind in die Berge gefahren. Wir sind gewandert und haben „Tapas" gegessen. Es war super.

Am dritten Tag war es unglaublich heiß. Wir sind um neun Uhr aufgestanden und haben den ganzen Tag am Strand verbracht. Wir sind geschwommen und haben uns gesonnt. Am Abend sind wir in die Disco gegangen. Das war toll!

Und heute ist der vierte Tag. Heute ist es wolkig und windig. So ein Pech! Am Meer gibt es bei schlechtem Wetter wirklich nicht viel zu tun! Heute sehen wir in unserem Zimmer fern - aber es ist sehr langweilig, da wir Spanisch nicht verstehen ...

Tschüs, Heike

	Wo?	Was?	Wie?
1 Tag	Hotel		
2 Tag			
3 Tag			
4 Tag			

3 Ändere die unterstrichenen Wörter, um deine eigene Ferienpostkarte zu schreiben!

Hi, Rolf!

Gruß aus Hartlepool ...

Sprechen

Fill in your answers and then practise and learn both questions and answers to prepare for your speaking exam.

1 Woher kommst du? Wo liegt das genau? Beschreib die Gegend.

_____

2 Wie ist das Klima in deiner Gegend?

_____

3 Was für Wetter magst du am liebsten? Und am wenigsten? Warum?

_____

4 Warst du dieses Jahr oder letztes Jahr auf Urlaub? Wohin bist du gefahren?

_____

5 Was hast du dort gemacht? Wie war das Wetter, die Landschaft, die Leute, das Hotel, usw.? _____

_____

6 Wie fährst du am liebsten auf Urlaub? Warum?

_____

7 Was sind die Vorteile und Nachteile von jedem Transportmittel?

_____

8 Fährst du am liebsten mit deinen Eltern auf Urlaub oder mit Freund(inn)en? Warum? _____

_____

9 Urlaub mit den Eltern, alleine oder mit Freund(inn)en? Was findest du am besten? Und am schlimmsten? Warum? Was sind die Vor- und Nachteile?

_____

10 Wohin willst du nächstes Jahr auf Urlaub fahren? Mit wem? Und wie? Was möchtest du dort machen? _____

_____

11 Sollte man auf Urlaub fahren, oder sollte man zu Hause bleiben, um die Umwelt zu schonen? Gib Gründe für deine Meinung. _____

_____

12 Beschreib deinen idealen Urlaub.

_____

Grammatik

1 **Write sentences. Where do these people come from? What are they?**

> Er ist Italien**er**./Sie ist Italiener**in**./Er ist Deutsch**er**./Sie ist Deutsch**e**.

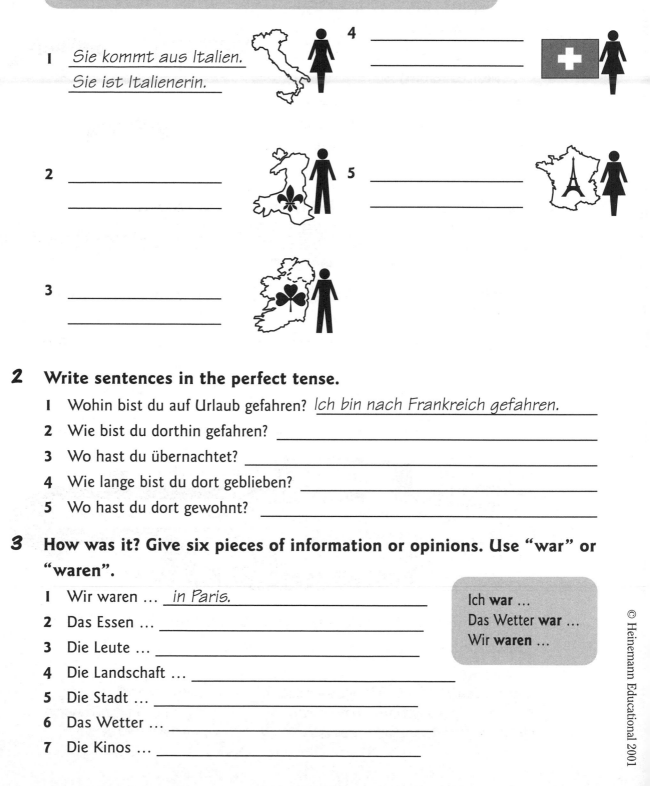

1 *Sie kommt aus Italien.*
  Sie ist Italienerin.

4 _____
  _____

2 _____
  _____

5 _____
  _____

3 _____
  _____

2 **Write sentences in the perfect tense.**

1 Wohin bist du auf Urlaub gefahren? *Ich bin nach Frankreich gefahren.*

2 Wie bist du dorthin gefahren? _____

3 Wo hast du übernachtet? _____

4 Wie lange bist du dort geblieben? _____

5 Wo hast du dort gewohnt? _____

3 **How was it? Give six pieces of information or opinions. Use "war" or "waren".**

1 Wir waren ... *in Paris.* _____

2 Das Essen ... _____

3 Die Leute ... _____

4 Die Landschaft ... _____

5 Die Stadt ... _____

6 Das Wetter ... _____

7 Die Kinos ... _____

> Ich **war** ...
> Das Wetter **war** ...
> Wir **waren** ...

Wo ich wohne (Seite 74–75)

1 **Welches Symbol passt zu welchem Satz?**

1 In meinem Dorf gibt es keine Geschäfte.

2 Graustein ist eine schöne Stadt mit einer alten Brücke.

3 Hier in Funkstadt gibt es ein riesiges Kaufhaus.

4 Um meine Stadt herum gibt es immer noch die alte Stadtmauer.

5 Wir haben ein schönes neues Schwimmbad in unserer Stadt.

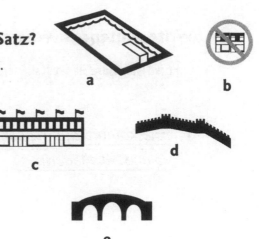

2 **Füll die Lücken aus mit Wörtern aus dem Kasten.**

Datei   Geschichte   Favoriten

Kottenheim ist eine _Kleinstadt_ in _____, mit ungefähr _____ Einwohnern. Es liegt in _____, in der Nähe von _____. Die Stadt ist sehr _____, und es gibt viele _____. Zum Beispiel gibt es einen Dom und einen _____. Es gibt auch ein schönes _____, und in der Stadtmitte gibt es viele _____, aber auch _____ ___ _____. Am _____ gibt es einen Sportplatz und ___ ___ _____ gibt es einen Campingplatz.

Bremen   ~~Kleinstadt~~   Deutschland   Sehenswürdigkeiten   Marktplatz

Rathaus   Fachwerkhäuser   sechstausend   Restaurants und Geschäfte

neben dem Fluss   Norddeutschland   schön   Stadtrand

3 **Ändere den Text, um deine eigene Stadt/dein eigenes Dorf zu beschreiben.** _Matlock ist eine Kleinstadt ..._

... ist ein Dorf/eine Großstadt/eine Kleinstadt in ...   Es ist/gibt ... und ...
Es/sie hat/ ... mit ungefähr ... Einwohnern.   Es liegt in ..., in der Nähe von ...
Am Stadtrand/in der Dorfmitte gibt es ...   Ich wohne (nicht) gern hier.

Was gibt es zu tun? (Seite 76–77)

1 **Kreuz die Stadt an, wo ...**

1 ... man gut tanzen gehen kann

3 ... nichts los ist

2 ... man gut Sport treiben kann

4 ... man einen Film sehen kann

> Hier in Kleinsteinbach gibt es absolut nichts für junge Leute und sehr wenig für Erwachsene! Keine Cafés, keine Sportzentren, keinen Bahnhof, keine Kegelbahn, kein Schwimmbad ... nichts! Ich möchte gern umziehen ...

> Kirchberg ist wunderbar für junge Leute. Hier gibt es ein neues Sportzentrum, ein Hallenbad, ein Theater, ein Kino, viele Discos – aber keine Kegelbahn und keinen Bahnhof! Außerdem gibt es keinen Flughafen und keine Autobahn!

	🕺🎵	🏃	😴	🎥
Kleinsteinbach				
Kirchberg				

2 **Was ist hier Unsinn? Kreuz die doofen Sätze an. Schreib sie dann richtig auf!**

1 Hier kann man nicht gut essen gehen. Es gibt viele Pizzerias und Cafés. ☐

2 Die Transportverbindungen in meiner Stadt sind furchtbar. Es gibt einen riesigen Hauptbahnhof und eine Autobahn, die direkt nach Berlin fährt. ☐

3 Hier kann man gut einkaufen. Es gibt unheimlich viele Geschäfte und Supermärkte, und samstags gibt es einen großen Flohmarkt in der Markthalle. ☐

4 Die Stadt ist sehr gut für junge Leute. Es gibt kein Sportzentrum, kein Hallenbad, kein Fußballstadion, keine Kegelbahn, keine Kinos und kein Theater. ☐

3 **Was kann man in deiner Stadt oder deinem Dorf machen? Und was gibt es für junge Leute? Schreib ungefähr 75 Wörter.**

Hier in Wigan gibt es unheimlich viel für junge Leute. Man kann

'Black Pudding' essen ...

> Hier in ... ist es nicht schlecht für junge Leute.
> In ... gibt es ziemlich viel/sehr wenig/gar nichts für junge Leute.
> Es gibt (k)ein(e)(n) ...

Wie komme ich ...? (Seite 78–79)

1 **Was passt zusammen?**

1 Entschuldigung, wie komme ich am besten zur Post?

2 Entschuldigen Sie, gibt es hier in der Nähe eine Bushaltestelle?

3 Entschuldigen Sie, wo ist der Hauptbahnhof, bitte?

4 Entschuldigen Sie bitte, ich suche die Arthur-Knopfler-Schule.

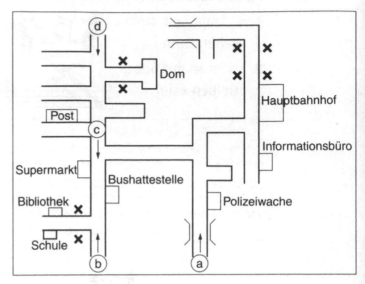

a Es ist ziemlich weit. Zuerst gehen Sie geradeaus, dann über die Brücke und an der Polizeiwache vorbei. Dann nehmen Sie die zweite Straße rechts und er ist am Ende der Straße.

b Es ist nicht sehr weit. Gehen Sie zuerst geradeaus und dann nehmen Sie die erste Straße links. Danach gehen Sie über die Ampel und an der Bibliothek vorbei und sie liegt auf der linken Seite, am Ende der Straße.

c Natürlich! Gehen Sie geradeaus, am Supermarkt vorbei und sie ist auf der linken Seite der Straße.

d Es ist nicht weit. Gehen Sie zuerst geradeaus und dann nehmen Sie die dritte Straße rechts. Dann ist sie auf der rechten Seite.

2 **Wähl sechs andere Gebäude auf der Karte und schreib Wegbeschreibungen für die Nummern 5 bis 10.**

5 Wie komme ich am besten zum Dom?

Gehen Sie zuerst geradeaus ...

3 **Schreib Wegbeschreibungen von deiner Schule oder deinem Haus zu unterschiedlichen Gebäuden in der Stadt/im Dorf. Kann dein(e) Partner(in) sagen, was sie sind?**

Geh aus der Schule und nimm die erste Straße rechts ...

Gehen Sie!	Nehmen Sie!	(Sie-Form)
Geh!	Nimm!	(Du-Form)

Transportmöglichkeiten (Seite 80–81)

1 Ordne die Sätze, um einen Dialog zu bilden.

B: Nein, es tut mir Leid. Der Fahrkartenschalter ist am Bahnhof. ☐

K: Was kostet er? ☐

B: Hier – bitte schön. ☐

K: Ja. Ich möchte einen Fahrplan für die Bundesbahn. ☐

B: Nichts. Er ist kostenlos. Ist das alles? ☐

K: Danke. ☐

B: Guten Tag. Kann ich Ihnen helfen? ☐ 1

K: Nein. Kann ich hier Fahrkarten kaufen? ☐

2 Füll die Lücken mit Wörtern aus der Sprechblase unten aus.

B: Guten Tag. Kann ich Ihnen helfen?

K: Ja. Ich möchte eine _Broschüre_ über Koblenz.

B: Selbstverständlich. Ist das alles?

K: Nein. Haben Sie einen Fahrplan für die _____?

B: Ja, natürlich. Bitte schön. Sonst noch etwas?

K: Ja … ich möchte Fahrkarten für die _____.

B: Es tut mir Leid. Wir verkaufen keine _____. Noch etwas?

K: Nur ein Ding. Gibt es hier in der Nähe eine _____?

B: Ja, sie ist nicht weit. Die nächste ist gerade um die Ecke, in der Beethovenstraße.

K: Vielen Dank. Auf Wiedersehen.

B: Auf Wiedersehen.

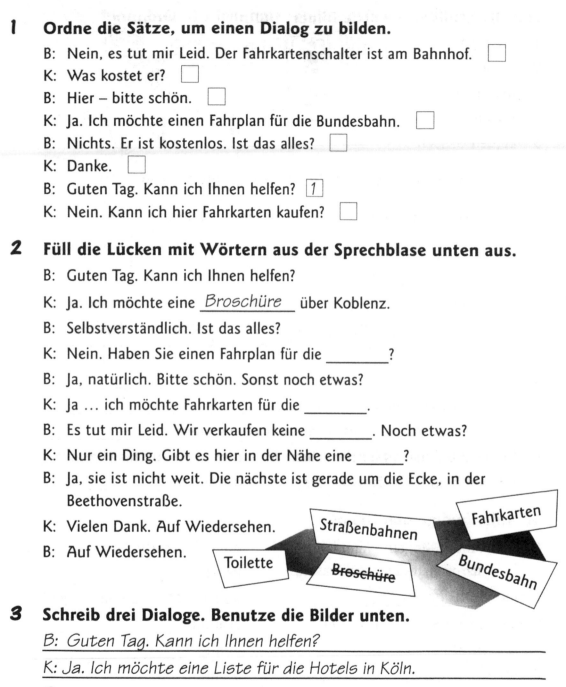

Straßenbahnen Fahrkarten Toilette ~~Broschüre~~ Bundesbahn

3 Schreib drei Dialoge. Benutze die Bilder unten.

B: Guten Tag. Kann ich Ihnen helfen?

K: Ja. Ich möchte eine Liste für die Hotels in Köln.

B: …

35

Die Bundesbahn (Seite 82–83)

1 Lies die Schilder – welche Bilder sind nicht in Ordnung?

1 Ausstieg ☐

2 Fahrplan ☐

3 Nichtraucher ☐

4 Ankunft ☐

5 Zu den Gleisen ☐

2 Lies den Fahrplan und beantworte die Fragen unten.

Gleis	Anmerkungen	Abfahrt	Ankunft	Nach
1	nur werktags	09.47	11.03	Frankfurt a. Main
2		11.07	11.39	Kassel
3	samstags u. sonntags	11.38	13.49	Hannover
4	InterCity gegen Zuschlag	11.57	18.56	München

1 Wann kommt der Zug in Richtung Kassel an? _____

2 Wann fährt der Zug nach Frankfurt ab? _____

3 Heute ist Montag. Gibt es einen Zug nach Hannover? _____

4 Du möchtest nach München fahren. Musst du einen Zuschlag bezahlen? ____

5 Von welchem Gleis fährt der Zug nach Kassel ab? _____

3 Vervollständige den Dialog.

Kunde: Guten Morgen. Wann fährt
der nächste Zug nach Passau?

Beamtin: *Um 18.45 Uhr.* _____

Kunde: Von welchem Gleis fährt
er ab?

Beamtin: _____

Kunde: Eine Fahrkarte, bitte.

Beamtin: _____

Kunde: Einfach, bitte. Was kostet das?

Beamtin: _____

Kunde: Muss ich umsteigen?

Beamtin: _____

Kunde: _____

Beamtin: Um 21.19 Uhr.

Kunde: Danke.

4 Ändere jetzt den Dialog, um deine eigenen Dialoge zu machen.

Kunde: Guten Tag. Wann fährt der nächste Zug nach Berlin?

Beamtin: Um 20.25 Uhr.

Sprechen

Fill in your answers and then practise and learn both questions and answers to prepare for your speaking exam.

1   Wo wohnst du und wo liegt deine Stadt?

_____

2   Was gibt es in deiner Stadt? Was gibt es nicht?

_____

3   Was würdest du in deiner Stadt ändern?

_____

4   Wie viele Einwohner hat deine Stadt? Und wie findest du die Leute?

_____

5   Was kann man in deiner Stadt machen? Was kann man nicht machen?

_____

6   Ist deine Stadt gut für junge Leute? Touristen? Erwachsene? Warum?

_____

7   Was kann man in deiner Stadt gut und nicht gut machen? (z.B. einkaufen, essen gehen, usw.) _____

_____

8   Wie findest du die Transportverbindungen in deiner Stadt/in deinem Dorf? Wie könnten sie besser sein? _____

_____

9   Wie ist die Gegend um deine Stadt herum? Ist die Landschaft schön? Ist es hügelig? usw. _____

_____

10 Gibt es in deiner Gegend viel Arbeitslosigkeit? Was sind die Vor- und Nachteile der Gegend? _____

_____

11 Beschreib deine Traumstadt/Alptraumstadt*.   * Alptraumstadt – "Nightmare town"

_____

12 Wohnst du gern dort? Warum (nicht)? Wo möchtest du wohnen, wenn du erwachsen bist? Warum? _____

_____

Grammatik

1 **What is there in your area? And what isn't there? Look at the pictures and write sentences.**

M	F	N
Es gibt (k)einen Supermarkt.	Es gibt (k)eine Turnhalle.	Es gibt (k)ein Rathaus.

1 *In meiner Stadt gibt es einen Schloss.* _____

2 _____

3 _____

4 _____

5 _____

6 _____

2 **"Zum", "zur" or "nach"? Translate into German.**

M	F	N	(Stadt/Dorf)
Zum Dom	**Zur** Bushaltestelle	**Zum** Informationsbüro	**Nach** Berlin

1 How do I get to the cathedral? *Wie komme ich am besten zum Dom?* ___

2 How do I get to the information office? _____

3 How do I get to the bus stop? _____

4 How do I get to Berlin? _____

5 How do I get to the school? _____

6 How do I get to Frankfurt? _____

Geschäfte und Öffnungszeiten (Seite 90–91)

1 **Lies die Texte und schreib „ja" oder „nein".**

1 Stell dir vor, es ist halb sieben am Montagmorgen. Du möchtest Käsebrote zum Frühstück haben, aber du hast kein Brot. Du möchtest Brot kaufen … kannst du das? _____

2 Stell dir vor, es ist halb fünf am Freitagnachmittag. Du hast eine Freundin eingeladen und du möchtest Kaffee und Kuchen mit ihr essen. Kannst du es machen? _____

3 Stell dir vor, es ist fünf Uhr am Donnerstagnachmittag. Du möchtest etwas Fleisch zum Abendessen, aber in der Tiefkühltruhe gibt es nichts. Du willst Schweinekoteletts kaufen. Geht das? _____

4 Stell dir vor, es ist Mittwochabend um sieben Uhr. Du hast furchtbare Kopfschmerzen und du möchtest Schmerztabletten kaufen. Ist das möglich?

_____

2 **Beantworte jetzt die folgenden Fragen. Ganze Sätze, bitte!**

1 Um wie viel Uhr macht die Konditorei auf?

Die Konditorei macht um neun Uhr auf. _____

2 Um wie viel Uhr macht die Apotheke auf? _____

3 Um wie viel Uhr macht die Metzgerei auf? _____

4 Um wie viel Uhr macht die Bäckerei zu? _____

3 **Umfrage – was hast du in der letzten Woche gekauft? Und wann und wo? Sieh dir die Bilder an und schreib eine Antwort auf die Umfrage.**

Am Montag habe ich einen Walkman gekauft … _____

Preise usw. (Seite 92–93)

1 Welches Bild passt zu welchem Schild?

1 Wir müssen draußen bleiben!

2 Kasse

3 Lebensmittel

4 Reduziert!

5 Aufzug

6 Ruhetag

2 Vervollständige die Sätze.

1 Ich möchte 250 Gramm _____*Käse.*_____

2 Ich hätte gern eine Packung _____

3 Wir möchten eine Dose _____

4 Geben Sie mir bitte eine _____

5 Wir nehmen eine Flasche _____

6 Wir hätten gern eine Tüte _____

3 Ordne die Sätze, um einen Dialog zu bilden.

Kundin: Auf Wiedersehen. ☐

Verkäufer: Bitte schön. Ist das alles? ☐

Kundin: Guten Tag. Ich hätte gern eine Packung Kekse. ☐

Verkäufer: Drei Euro fünfzig … danke. Auf Wiedersehen. ☐

Kundin: Ja, ich möchte auch 500 Gramm Bananen. ☐

Verkäufer: Bitte schön. Sonst noch etwas? ☐

Kundin: Ja. Was macht das insgesamt? ☐

Verkäufer: Guten Tag. Was darf es sein? ☐ 1

4 Erfinde ähnliche Dialoge und schreib sie auf! Der Dialog oben wird dir helfen.

Verkäufer: Guten Tag. Kann ich Ihnen helfen?

Kundin: …

_____

Im Kleidungsgeschäft (Seite 94–95)

1   **Lies die Dialoge und füll die Tabelle unten aus.**

Dialog 1

Kundin:	Dieser gelbe Rock gefällt mir sehr. Haben Sie ihn in Grün?
Verkäuferin:	Nein, leider nicht. Aber wir haben ihn in Rot.
Kundin:	Hmm … Kann ich ihn anprobieren? …
Verkäuferin:	Er kostet achtzig Euro.
Kundin:	Achtzig Euro? Ist in Ordnung. Kann ich mit Kreditkarte zahlen?

Dialog 2

Kundin:	Diese blaue Jacke gefällt mir. Kann ich sie anprobieren?
Verkäuferin:	Natürlich.
Kundin:	Ach nein, sie ist mir zu klein.
Verkäuferin:	Diese ist größer.
Kundin:	Ach ja, sie ist viel besser. Was kostet sie?
Verkäuferin:	Hundertzwanzig Euro.
Kundin:	So … hundertzwanzig Euro … bitte schön.

	Kleidungsstück	Farbe	Preis
Kundin 1	Rock		
Kundin 2			

2   **Füll die Lücken aus.**

Die erste Kundin hat sich für einen gelben __Rock__ interessiert. Dann hat sie denselben Rock in Rot _____ und er hat gut gepasst. Sie hat ihn _____ und hat mit Kreditkarte _____. Die zweite Kundin hat eine _____ _____ anprobiert, aber sie war ihr zu _____. Danach hat sie eine andere Jacke _____ und sie hat gut gepasst. Die Jacke hat _____ Euro gekostet und die Kundin hat bar bezahlt.

3   **Stell dir vor, du hast €120 für Kleidung ausgegeben. Beschreib, was du gemacht hast. Die Ideen unten werden dir helfen.**

Ich habe eine grüne Hose anprobiert, aber …

Ich habe ein/e/en … anprobiert.
Ich wollte …
Er/sie/es hat gut/nicht gut …

Der/die/das … hat … gekostet.
Ich habe … gekauft.
Er/sie/es war …

Taschengeld (Seite 96–97)

1 **Wer gibt wie viel Geld aus und wofür? Schreib Sätze.**

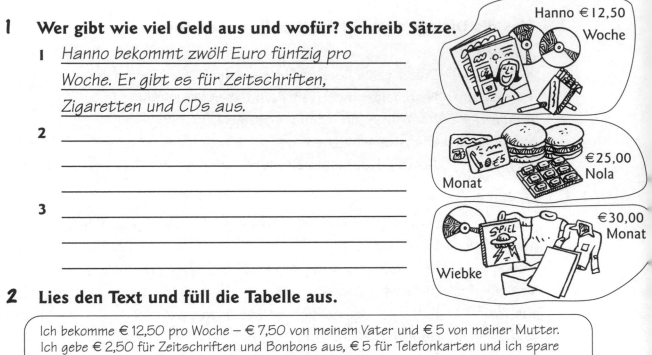

1 *Hanno bekommt zwölf Euro fünfzig pro*

   Woche. Er gibt es für Zeitschriften,

   Zigaretten und CDs aus.

2 _____

   _____

   _____

3 _____

   _____

   _____

2 **Lies den Text und füll die Tabelle aus.**

> Ich bekomme € 12,50 pro Woche – € 7,50 von meinem Vater und € 5 von meiner Mutter. Ich gebe € 2,50 für Zeitschriften und Bonbons aus, € 5 für Telefonkarten und ich spare € 5 für ein Mofa. *Jasmin, 17*

> Meine Mutter gibt mir € 25 pro Monat und meine Großeltern geben mir € 37,50 pro Monat – also € 62,50 insgesamt. Davon gebe ich ungefähr € 25 für Zigaretten aus, € 15 für Getränke (Cola usw.) und € 10 für Zeitschriften. Den Rest (ungefähr € 12,50) spare ich für einen neuen Computer. *Erika, 18*

> Ich bekomme von meinen Eltern € 17,50 pro Woche. Davon gebe ich ungefähr € 5 für Telefonkarten, € 2,50 für Bonbons und € 2,50 für Hamburger aus. Den Rest (das heißt € 7,50) spare ich für Flugtickets. *Torsten, 16*

Name	Wie viel	Wie oft	Von wem	Gibt aus für …	Spart für …
Jasmin	€ 12,50				
Erika					
Torsten					

3 **Schreib eine E-Mail an einen Freund/eine Freundin. Sag, wie viel Taschengeld du bekommst, von wem, wofür du sparst, usw.**

Meine Mutter gibt mir … _____

Einkaufsbummel (Seite 98–99)

1 **Verbinde die Satzteile.**

1	Herrenhemden finden Sie	**a**	in unserer Süßwarenabteilung in der ersten Etage.
2	Schreibpapier gibt es		
3	Kinderschuhe haben wir	**b**	in der Sportabteilung in der ersten Etage.
4	Wir haben Bonbons	**c**	in der Herrenabteilung in der dritten Etage.
5	Damenschuhe finden Sie	**d**	in der Schreibwarenabteilung in der ersten Etage.
6	Tennisschläger gibt es	**e**	in der Kinderabteilung im Erdgeschoss.
		f	in der Damenabteilung in der dritten Etage.

2a **Unterstreiche die Fehler.**

Brauchen Sie neue Sportschuhe?

Sportschuhe haben wir in der <u>Süßwarenabteilung</u> in der zweiten Etage.
Und wenn Sie Damenblusen dazu brauchen, die sind in der Schreibwarenabteilung in der dritten Etage.
Suchen Sie zufällig Käse? Das gibt es in unserer ausgezeichneten Sportabteilung im Erdgeschoss.
Und wenn Sie Bonbons zum Essen möchten, finden Sie sie in der Herrenabteilung in der ersten Etage.

2b **Schreib dann die Reklame richtig auf.**

Brauchen Sie neue Sportschuhe? Sportschuhe haben wir in der

Sportabteilung ...

3 **Ordne die Sätze und schreib den Dialog richtig auf. Benutze ihn dann, um ähnliche Dialoge zu erfinden.**

Kunde: Gestern. ☐

Verkäuferin: Möchten Sie Ihr Geld zurückhaben oder einen neuen Pullover? ☐

Kunde: Guten Tag. Ich möchte mich beschweren. [1]

Verkäuferin: Natürlich. ☐

Kunde: Ich habe diesen Pullover gekauft, aber er ist zu klein. ☐

Verkäuferin: Was ist das Problem? ☐

Kunde: Ich möchte bitte mein Geld zurück. ☐

Verkäuferin: Es tut mir Leid. Wann haben Sie den Pullover gekauft? ☐

Verloren! (Seite 102–103)

1 Wie viele Sätze kannst du bilden? Benutze Wörter aus jeder Spalte.

Ich habe meine kleine Tasche gefunden.

Ich habe	meinen	alten neuen	Mantel Ring	verloren.
	meine	schöne grüne	Tasche Uhr	
Haben Sie	mein	altes ganzes	Portemonnaie Geld	gefunden?

2 Lies den Brief und beantworte die Fragen mit „richtig", „falsch" oder „nicht im Text".

Sehr geehrte Frau Direktorin,

wir waren am Wochenende in Ihrem Geschäft. Ich habe nichts
gekauft, aber ich habe etwas dort liegen lassen! Ich hoffe, dass
Sie es gefunden haben. Es war mein neues Portemonnaie mit meinem
ganzen Geld drin. Ich weiß nicht genau, wo das war, aber
vielleicht war es in der Umkleidekabine in der Damenabteilung.
Oder unter der Treppe. Oder vielleicht in der Toilette. Ich wäre
Ihnen sehr dankbar, wenn Sie es für mich suchen könnten. Meine
Telefonnummer ist 0537 48-28-45-12.

Mit freundlichen Grüßen

Liese Hanfstaengl

1 Frau Hanfstaengl hat ein paar Handschuhe gekauft. _____

2 Sie hat die Handschuhe im Geschäft liegen gelassen. _____

3 Sie hat ihr neues Portemonnaie verloren. _____

4 Sie weiß genau, wo sie es liegen gelassen hat. _____

5 Sie denkt, es war vielleicht in der Toilette. _____

3 Schreib einen ähnlichen Brief. Sag:

- was du verloren hast   • wo es war   • wie es aussieht

- wo du wohnst   • wann es war

Sehr geehrte Damen und Herren,

gestern war ich in Ihrem Geschäft und ...

Sprechen

Fill in your answers and then practise and learn both questions and answers to prepare for your speaking exam.

1 Welche Geschäfte gibt es in deiner Stadt/deinem Dorf nicht? Kann man dort gut einkaufen? Warum? _____

_____

_____

2 Welche Kleider trägst du gern und nicht gern? Wann? Warum?

_____

_____

3 Ist Mode für dich wichtig? Warum?

_____

4 Wie viel Taschengeld bekommst du pro Woche? Was machst du damit?

_____

5 Sollten Jugendliche Taschengeld bekommen oder sollten sie ihr eigenes Geld verdienen? _____

_____

6 Sollte man Sportschuhe kaufen, die von Kindern in anderen Ländern hergestellt werden? Warum (nicht)? _____

_____

7 Sparst du dein Geld? Wenn ja, wofür? Sollten Jugendliche Geld sparen oder sollten ihre Eltern für sie sparen? _____

_____

8 Welche Geschäfte magst du (nicht) gern? Warum? _____

_____

9 Was hast du letzte Woche gekauft? Bist du damit zufrieden? Warum?

_____

_____

10 Was hat es gekostet? War es zu teuer oder recht billig? Warum? Kaufst du immer billige Sachen oder magst du gern Qualität?

_____

_____

Grammatik

ein Kilo Äpfel
drei Scheiben Salami

1 **Write sentences.**

1 250g _____ *Ich möchte zweihundertfünfzig Gramm Butter.* _____

2 1kg _____

3 _____

4 500g _____

5 _____

6 2kg _____

2 **Buy the following things.**

ich möchte einen roten Rock
der Rock ist rot

	M	F	N	Plural
der/die/das:	-en	-e	-e	-en
ein/eine/ein:	-en	-e	-es	-e

1 rot _____ *Ich möchte einen roten Schal.* _____

2 grau _____

3 braun _____

4 grün _____

5 blau _____

6 gelb _____

3 **Fill in the gaps with adjectives. (Watch out! Ending or no ending?)**

1 Das Kleid ist _grün._

2 Ich habe ein _____ Kleid.

3 Die Hose meines Bruders ist _____

4 Mein Bruder hat eine _____ Hose.

5 Ich habe einen _____ Mantel.

6 Mein Mantel ist _____

Geld! (Seite 108–109)

1 Welche Hinweise würde man in einer Telefonzelle finden?

1 Münze einwerfen oder Telefonkarte einstecken ✔
2 Bitte einsteigen und Türen schließen ☐
3 Vorsicht bei der Abfahrt des Zuges ☐
4 Vorwahlnummer wählen ☐
5 Hörer abnehmen ☐
6 Nummer wählen ☐
7 Diese Schande muss weg ☐
8 Links einordnen ☐

2 Lies den Dialog und beantworte die Fragen unten.

A: Bitte schön?
B: Ich möchte <u>amerikanisches Geld</u> in <u>Euro</u> wechseln.
A: Gerne. Ist es Bargeld oder ein Reisescheck?
B: <u>Bargeld</u>.
A: Wie viele <u>Dollar</u> haben Sie?
B: <u>Zweihundert Dollar</u>.
A: So … der Kurs ist *ein Dollar* zu <u>einem Euro</u>. Also bekommen Sie <u>zweihundert Euro</u>.
B: Danke schön.
A: Bitte schön. Wollen Sie hier unterschreiben?

1 Was für Geld will der Kunde wechseln? *Amerikanische Dollar*
2 Hat er Bargeld oder Reiseschecks? _____
3 Wie viel Geld will er wechseln? _____
4 Wie ist heute der Kurs? _____
5 Wie viele Euro wird er bekommen? _____
6 Was muss er am Ende des Dialogs machen? _____

3 Ändere die unterstrichenen Wörter im Dialog in Übung 2, um deinen eigenen Dialog zu bilden.

A: *Bitte schön?* _____
B: *Ich möchte <u>französische Francs</u> in <u>Deutsche Mark</u> wechseln.*
_____
_____

Imbiss und Café (Seite 110–111)

1 Wie viel müssen sie bezahlen? Lies die Sprechblasen und schreib die Beträge auf.

Ilses Imbiss

Pommes frites	2,40 Euro	Schaschlik	4,30 Euro
Bratwurst	3,30 Euro	Wiener Schnitzel	6,30 Euro
Bockwurst	3,10 Euro	Kartoffelsalat	2,50 Euro
Currywurst	3,40 Euro	Mineralwasser	2,20 Euro
ein halbes Hähnchen	11,00 Euro	Limonade	2,40 Euro
Hamburger	3,80 Euro	Cola	2,30 Euro

1 Ein halbes Hähnchen, zwei Portionen Pommes frites und eine Cola, bitte.

18,10 Euro

2 Zweimal Bratwurst, zweimal Pommes, einmal Kartoffelsalat und drei Mineralwasser, bitte.

_____

3 Einmal Schaschlik mit Pommes, bitte. Und zu trinken, eine Flasche Limonade.

_____

4 Eine Bockwurst mit einer Portion Pommes frites. Ich nehme Kartoffelsalat dazu und auch Senf und Mayonnaise, bitte.

_____

2 Schreib jetzt deine eigenen Gespräche. Benutze die Gespräche oben, wenn du möchtest.

Zweimal Wiener Schnitzel ...

3 Was können die folgenden Personen bestellen? (Wenn nichts, schreib „nichts"; wenn alles, schreib „alles"!).

1 Eine Vegetarierin   _Pommes frites,_ _____

2 Jemand, der nur ökologisch angebaute Produkte* isst. _____

3 Jemand, der gegen gebratenes Essen allergisch ist. _____

4 Jemand, der keinen Fisch isst. _____

5 Jemand, der keinen Hunger, aber viel Durst hat. _____

6 Jemand, der kein Schweinefleisch isst. _____

* organic products

Im Restaurant (Seite 112–113)

1   **Lies den Dialog und unterstreiche in jedem Satz das richtige Wort.**

Kunde: Einen 1. a) <u>Tisch</u> b) Stuhl c) Fisch für zwei, bitte.

Kellner: In der Ecke oder neben dem Gang?

Kunde: In der 2. a) Toilette b) Ecke c) Suppe, bitte.

✳ ✳ ✳ ✳

Maria: Herr Ober! Kann ich bitte 3. a) die Speisekarte b) die Schildkröte c) die Rechnung haben?

Kellner: Bitte schön.

Maria: So … was für 4. a) Tiere b) Kinder c) Suppen haben Sie?

Kellner: Tomatensuppe, Erbsensuppe und Hühnersuppe.

Maria: Als Vorspeise nehme ich Hühnersuppe. Und du, Karl?

Karl: Ich nehme eine 5. a) Tablette b) Straßenbahn c) Tomatensuppe.

Maria: Und als 6. a) Nachtisch b) Hauptspeise c) Nachttisch nehme ich Schweinefleisch. Was nimmst du, Karl?

Karl: Für mich Fisch … ich probiere den 7. a) Lachs b) Zug c) Hamster.

Maria: Und zu trinken?

Karl: Ich nehme ein Glas 8. a) Gurken b) Rotwein c) Benzin.

Maria: Und ich nehme ein Glas Weißwein.

✳ ✳ ✳ ✳

Kellner: Möchten Sie einen 9. a) Nachttisch b) Stuhl c) Nachtisch?

Kunde 1:   Ja, bitte. Was für Eis haben Sie?

Kellner: Erdbeer, Schokolade, Mocca …

Kunde 1:   Ich nehme Mocca.

Kunde 2:   Und ich nehme Erdbeer mit 10. a) Fliegen b) Sahne c) Senf.

Kellner: So … einmal Mocca und einmal Erdbeer mit Sahne. Kommt sofort.

2   **Jetzt ändere den Dialog, um deinen eigenen Dialog zu schreiben.**

Ein Tisch für vier, bitte.
_____

3   **Erfinde deine eigenen Probleme! Ein Punkt für ein Problem aus dem Buch; zwei Punkte für ein neues Problem!**

Herr Ober! Mein Essen ist kalt! Igitt!   [1 Punkt]

_____

_____

_____

Ausreden (Seite 114–115)

1 **Lies Barbaras Brief und ordne die Bilder.**

> Liebe Birgit!
>
> Wie geht's? Monika sagt mir, dass Dennis dich ins Kino eingeladen hat. Aber pass auf! Tu's nicht!!
>
> Du darfst KEINESFALLS eine Einladung von Dennis akzeptieren! Der ist soooooo ein Trottel! Wenn du mit ihm ausgehst, spreche ich nie wieder mit dir ...
>
> Wenn du eine Ausrede brauchst, hier sind einige Ideen. Sag ihm, du hast Kopfschmerzen. Oder vielleicht sagst du „ich kann nicht, ich bin krank"! Oder noch besser – „ich wasche mir die Haare".
>
> Hier sind noch einige Ideen: „Ich habe kein Geld". Oder vielleicht „ich bin müde" – oder sogar „ich habe zu viele Hausaufgaben".
>
> Erfinde IRGENDEINE Ausrede! Aber es ist wichtig, dass du NICHT mit diesem Idioten ausgehst!
>
> Sag nicht, ich hätte dich nicht gewarnt ...
>
> Tschüs
>
> Barbara

a ☐

b  ☐

c ☐

d 1

e ☐

f 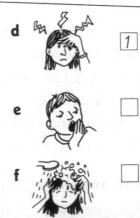 ☐

2 **Die Einladung von Dennis ist angekommen! Sieh dir den Brief nochmal an und schreib Birgits mögliche Ausreden für sie auf. Achtung! Benutze „weil" und schreib ganze Sätze!**

Ich kann nicht mit ins Kino kommen, weil ich Kopfschmerzen habe.

> Sag mal, Birgit. Möchtest du mit mir am Samstagabend ins Kino gehen? Der Film heißt

Was hast du gemacht? (Seite 118–119)

1 **Wähl vier Bilder für jede Person.**

Ahmed, 16 k ☐ ☐ ☐

Es war nicht schlecht. Wir haben geredet, Musik gehört und getanzt. Die Musik war aber viel zu laut. Und ehrlich gesagt habe ich zu viel Bier getrunken. Ich bin spät nach Hause gegangen und am folgenden Morgen war ich ein bisschen krank!

Lotte, 17 ☐ ☐ ☐ ☐

Ich hatte viel zu tun. Zuerst habe ich meine Hausaufgaben gemacht und danach habe ich mein Zimmer aufgeräumt. Erst dann habe ich ein bisschen ferngesehen, aber das Programm war entsetzlich und ich bin früh ins Bett gegangen.

Markus, 15 ☐ ☐ ☐ ☐

Wir sind einkaufen gegangen und ich habe mir neue Sportschuhe gekauft. Dann sind wir ins Eiscafé gegangen und haben Spaghetti-Eis gegessen (lecker!). Gegen Mittag sind wir in die Bibliothek gegangen und danach sind wir ins Stadtmuseum gegangen. Zum Einschlafen …

2 **Lies nochmal und unterstreiche die folgenden Wörter:**

1 Partizipien Perfekt, in blau.

2 Pronomina, in schwarz.

3 Meinungen, in rot.

4 Ausdrücke, die mit Zeit zu tun haben, zweimal.

3 **Beschreib einen Abend in der Stadt – oder zu Hause, oder auf einer Party, usw.**

Ich habe mit meinen Freunden geredet …

Ich habe mit… geredet.	Ich habe Musik gehört.
Ich bin zu einer Party gegangen.	Ich habe gelesen.
Ich habe ferngesehen.	Ich habe getanzt.

Sprechen

Fill in your answers and then practise and learn both questions and answers to prepare for your speaking exam.

1   Gehst du gern ins Kino? Warum (nicht)?

   _____

2   Was für Filme siehst du gern? Was für Filme siehst du nicht gern? Was ist dein Lieblingsfilm? Und was ist der schlimmste Film, den du je gesehen hast?

   _____

   _____

3   Gehst du oft ins Kino?

   _____

4   Welchen Film hast du neulich gesehen? Wie war er? Beschreib ihn.

   _____

   _____

5   Was hast du am letzten Wochenende gemacht? Mit wem? Wie war es?

   _____

   _____

6   Was wirst du nächstes Wochenende machen? Wo? Mit wem?

   _____

   _____

7   Was hast du neulich in der Schule gemacht? War es interessant?

   _____

   _____

8   Was wirst du in den kommenden Wochen in der Schule machen? Freust du dich darauf? _____

   _____

9   Wie ist das Klima bei dir? Und wie ist das Wetter im Moment? Was für Wetter hast du am liebsten? _____

   _____

10   Was machst du, wenn das Wetter schlecht ist? Und wenn es schön ist?

   _____

Grammatik

1   **Word order. Write sentences.**

	WANN	WIE	WO(HIN)
Ich bin	am Montag	mit dem Auto	nach Berlin gefahren

1   mein Bruder + Wochenende

Ich habe am Wochenende mit meinem Bruder Fußball gespielt.

2   gestern Abend + in die Stadt

3   Montag + meine Freundin

4   Dienstag + in der Stadt

5   ins Kino + am Wochenende

6   Mutter + in den Ferien

2   **And you? What have you done recently? And when? (WATCH OUT! Word order!)**

Ich bin am Wochenende in die Stadt gegangen.

Routine, Routine (Seite 124–125)

1 „Lerchen" stehen früh auf und gehen früh ins Bett. „Eulen" stehen spät auf und gehen spät ins Bett. Lies Monikas und Fraukes Beschreibungen – wer ist eine Lerche und wer ist eine Eule?

Monika

Ich wache meistens sehr früh auf – um halb sechs. Ich brauche keinen Wecker, da mein Körper seinen eigenen „eingebauten" Wecker hat! Ich muss erst um halb sieben aufstehen, aber ich bleibe normalerweise eine Stunde im Bett und lese. Das macht mir Spaß. Um halb sieben stehe ich auf und dusche mich, um Viertel vor sieben ziehe ich mich an und um sieben Uhr frühstücke ich. Ich verlasse das Haus um acht Uhr.

Frauke

Ich muss das Haus um halb acht verlassen, also sollte ich spätestens um sieben Uhr aufstehen – aber normalerwiese schaffe ich das nicht! Ich wache erst um sieben Uhr auf, und ich stehe fast sofort auf – aber das ist meistens um fünf nach sieben. Dann muss ich mich beeilen! Ich dusche mich und ziehe mich um zwanzig nach sieben an. Dann habe ich keine Zeit, um Frühstück zu essen. Deshalb esse ich normalerweise ein Brötchen im Bus, unterwegs zur Schule.

---

2 Beantworte jetzt die Fragen unten. Ganze Sätze, bitte!

1 Wann wacht Monika auf? *Monika wacht um halb sechs auf.*

2 Was macht sie danach? _____

3 Wann steht sie auf? _____

4 Wann wacht Frauke auf? _____

5 Wann duscht sie sich? _____

3 Beantworte die folgenden Fragen über dich selbst.

1 Wann wachst du auf? *Ich wache um halb acht auf.*

2 Wann stehst du auf? _____

3 Duschst du dich oder wäschst du dich morgens? Wann? _____

4 Wann frühstückst du? _____

5 Bist du eine „Eule" oder eine „Lerche"? Und warum? _____

4 Beschreib Monikas oder Fraukes Abend.

Monika isst um sechs Uhr Abendbrot …

Monika
18.00 Abendbrot   19.00 Hausaufgaben   20.00 Fernsehen
21.00 Sich waschen   21.15 Bett!

Essen (Seite 126–127)

1   Lies den Text und beantworte die Fragen. Wer...

> Zum Frühstück esse ich normalerweise nur ein gekochtes Ei und eine Scheibe Roggenbrot. Ich muss das Haus um Viertel vor sieben verlassen und ich habe erst um zehn Uhr morgens Hunger. Ich trinke eine Tasse schwarzen Kaffee ... und dann während des Tages noch zehn Tassen Kaffee ...
> *Mustafa, 17*

> Morgens habe ich immer viel Hunger! Zum Frühstück esse ich Butterbrote, Salami, Schinken, Käse und zwei gekochte Eier. Außerdem esse ich meistens eine Schale Cornflakes (oder sogar zwei Schalen Cornflakes ...). Ich trinke eine oder zwei Tassen Schokolade. Ganz schön viel, oder? Aber zu Mittag esse ich nichts.
> *Verena, 16*

1   hat morgens keinen Hunger?   _Mustafa_

2   isst sehr viel zum Frühstück?   _____

3   isst ein gekochtes Ei?   _____

4   isst nichts zu Mittag?   _____

5   isst Salami und Schinken zum Frühstück?   _____

6   trinkt sehr viel Kaffee?   _____

2   Vervollständige die folgenden Sätze.

1   Zum Mittagessen esse ich gern _Pommes frites und Hamburger._

2   Zum Mittagessen esse ich gar nicht gern _____.

3   Gestern habe ich zum Mittagessen _____ gegessen.

4   Gestern habe ich zum Abendessen _____ getrunken.

5   Zum Abendessen esse ich am liebsten _____.

6   Zum Abendessen esse ich gar nicht gern _____.

3   Schreib einen Artikel für eine Zeitschrift.

- **Sag, was du gern und nicht gern isst und trinkst.**
- **Sag, was du neulich zum Frühstück oder zum Abendessen gehabt hast.**
- **Beschreib dein ideales Essen. Stell auch ein paar Fragen.**

Ich esse/trinke (nicht) (sehr) gern ... Ich esse gar nicht gern ...	Gestern habe ich ... zum Frühstück gegessen/getrunken.

Gesundheit (Seite 128–129)

1 Gesund, ungesund oder nicht im Text? Lies die Poster und schreib „G" (gesund), „NG" (nicht gesund) oder „NT" (nicht im Text) für jedes Bild.

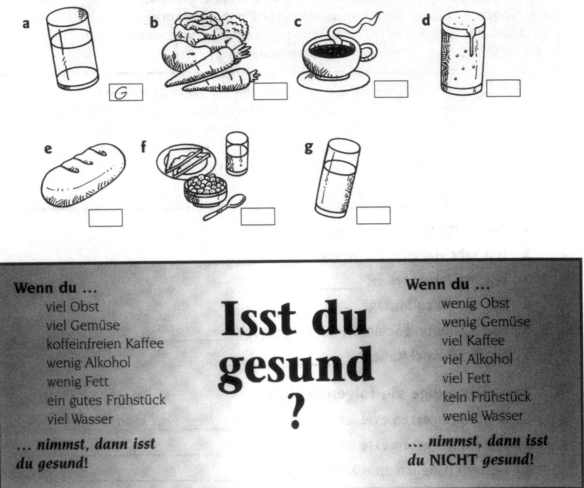

Wenn du ...		Wenn du ...
viel Obst	**Isst du**	wenig Obst
viel Gemüse	**gesund**	wenig Gemüse
koffeinfreien Kaffee	**?**	viel Kaffee
wenig Alkohol		viel Alkohol
wenig Fett		viel Fett
ein gutes Frühstück		kein Frühstück
viel Wasser		wenig Wasser
... nimmst, dann isst du gesund!		*... nimmst, dann isst du NICHT gesund!*

2 Diese Jugendlichen essen nicht gesund, aber DU isst gesund. Was würdest du schreiben?

Zum Frühstück esse ich normalerweise ...

Normalerweise esse ich kein Frühstück, weil ich keine Zeit dafür habe. Zum Mittagessen esse ich einen Hamburger mit Pommes frites und zum Abendbrot esse ich Brot mit Wurst und Käse und eine Tafel Schokolade.

Zum Frühstück esse ich normalerweise Wurst mit Käse und Salami. Zum Mittagessen esse ich Kartoffelchips, ein Käsebrot und einen Apfel und ich trinke meistens ein Glas Cola. Zum Abendessen esse ich Schweinekoteletts mit Pommes frites.

Aua! (Seite 130–131)

1   **Lies die Sprechblasen und entschließe dich, wer wirklich krank ist.**

Stefan

Herr Luders? Hier ist Stefan. Es tut mir Leid, aber heute kann ich nicht in die Schule kommen. Ich bin sehr müde, weil wir so viele Hausaufgaben haben. Ich hoffe, es wird mir morgen besser gehen.

Julia

Hallo, Herr Luders? Julia am Apparat. Es tut mir Leid, aber heute kann ich nicht in die Schule kommen. Ich habe Schnupfen und Fieber und meine Mutter denkt, dass ich eine Grippe haben könnte.

Turgut

Herr Luders? Turgut am Apparat. Heute kann ich nicht in die Schule kommen, weil ich krank bin. Es tut mir Leid, aber ich habe mich zweimal in der Nacht erbrochen und ich habe Bauchschmerzen.

2   **Schreib Notizen für Herrn Luders. Was fehlt jeder Person?**

Stefan ist sehr müde …

3   **Sieh dir die Bilder an und füll die Lücken aus.**

Katja   Anton

Carla   Fifi

Lieber Frank

Wir sind auf Urlaub – die ganze Familie ist krank. Ich habe Kopfschmerzen und Katja hat _____ . Und den anderen geht es noch schlimmer – Anton hat _____ und Carla hat _____ . Aber das Schlimmste ist, dass der Hund _____ hat. Stell dir vor – ein Hund mit _____ . Igitt …

Tschüs, Hans

4   **Du bist Manager(in) eines Fußballvereins, aber die Mannschaft ist krank! Schreib einen Bericht und erkläre, was mit den Spielern los ist!**

Heute ist die ganze Mannschaft krank!

Beim Arzt (Seite 132–133)

1 **Lies den Text und unterstreich die Modalverben.**

> Gisela
>
> Ich bin wütend! Gestern <u>musste</u> ich nochmal zum Arzt gehen, weil mein Problem wieder ganz schlimm war (du erinnerst dich ohne Zweifel daran – die Kopfschmerzen und Bauchschmerzen, die ich nur werktags bekomme).
>
> Es hat nicht gut angefangen – der Termin war um eins, aber ich musste bis halb zwei warten (zu spät, um nachher wieder ins Büro zu gehen). Außerdem gab es im Warteraum nichts Interessantes zum Lesen. Ich musste Zeitschriften über Baumaterial lesen. Zum Einschlafen!
>
> Als der Arzt mich endlich gesehen hat, hat er nichts gemacht! Gar nichts! Er hat mir keine Tabletten gegeben und er wollte mir auch keinen Krankenschein geben. Er sagt, dass ich nicht krank sein kann! Ich! Nicht krank – sag' ich dir! Jetzt kann ich für gestern Nachmittag keinen Lohn bekommen.
>
> Tschüs
>
> Helga

2 **Lies nochmal und beantworte die Fragen. Ganze Sätze, bitte!**

a Was war Helgas Problem?

Sie hatte Kopfschmerzen und Bauchschmerzen.

b Wann bekommt sie immer Kopfschmerzen?

_____

c Wann war der Termin?

_____

d Was musste Helga bis halb zwei machen?

_____

e Was musste Helga lesen?

_____

f Was hat der Arzt für Helga gemacht?

_____

g Wie viel Geld bekommt Helga für den Nachmittag?

_____

Beim Arzt (Seite 132–133)

1 **Lies die Dialoge und verbinde die Krankheiten und die Lösungen. Was passt zusammen?**

A: Guten Tag. Was fehlt Ihnen?

B: Ich weiß nicht. Ich habe Fieber.

A: Es ist bestimmt nichts Ernsthaftes. Ich verschreibe Ihnen diese Tabletten.

A: Guten Tag. Was ist das Problem?

B: Ich habe furchtbare Halsschmerzen.

A: Halsschmerzen? Dann verschreibe ich diesen Saft.

A: Guten Tag. Wie fühlen Sie sich?

B: Nicht gut, Frau Doktor. Ich habe Bauchschmerzen. Furchtbare Bauchschmerzen.

A: Das kann ernsthaft sein. Am besten gehen Sie sofort ins Krankenhaus.

A: Wie geht es Ihnen heute, Frau Schlüter?

B: Nicht gut, Herr Doktor. Ich habe einen Sonnenbrand. Ich bin zwar Schuld daran, aber es schmerzt!

A: Diese Salbe ist sehr gut. Probieren Sie sie mal!

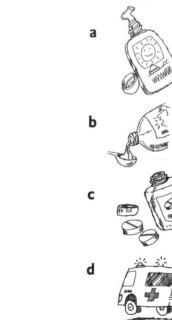

1   a

2   b

3   c

4   d

2 **Schreib zwei ähnliche Dialoge!**

Ärztin: Was fehlt dir, Susi?

Susi: Ich weiß nicht ...

Sprechen

Fill in your answers and then practise and learn both questions and answers to prepare for your speaking exam.

a Was isst/trinkst du gern? (drei Dinge) _____

_____

b Was isst/trinkst du lieber? (drei Dinge) _____

_____

c Was isst/trinkst du am liebsten? (ein Ding)_____

_____

1 Isst du gern Frühstück? Was isst du zum Frühstück? Warum?

_____

2 Isst du gesund? Was heißt „gesund essen"?

_____

3 Ist gesundes Essen für dich wichtig? Warum?

_____

4 Wann wachst du und stehst du in der Woche auf? Beschreib einen Morgen in der
Woche. _____

_____

5 Wann wachst du und stehst du am Wochenende auf? Beschreib einen Morgen am
Wochenende. _____

_____

6 Bist du eine „Lerche" oder eine „Eule"? Warum?

_____

7 Was für Hausarbeit machst du? Was musst du nicht machen? Ist das gerecht?
Warum?_____

_____

8 Welche Feste magst du und welche Feste magst du nicht?

_____

_____

9 Was denkst du über Feste? Sind sie eine Geldverschwendung oder sind sie wichtig?

_____

_____

Grammatik

1 **What do you like/not like eating/drinking? What do you prefer eating/drinking? And most of all? Look at the pictures and write sentences.**

Ich esse nicht gern Hamburger, *aber* *ich esse gern* Fisch. *Ich trinke*

gern Milch, *aber* *ich trinke lieber* Cola *und* *am liebsten trinke*

ich Kaffee.

2 **Nassim talks about what she has to and doesn't have to do at home. Write down the opposite!**

Meine Mutter ist nicht sehr streng ...

Meine Mutter ist sehr streng, und ich muss ihr viel helfen. Zum Beispiel muss ich Staub saugen und bügeln und ich muss mein Zimmer jeden Tag aufräumen. Ich muss aber nicht einkaufen gehen (schade!!) und außerdem muss ich abends nicht abwaschen. Und am Abend darf ich spät ins Bett gehen.

3 **And now you! What do you do? What DON'T you have to do? Write the truth!**

Ich muss nicht abwaschen oder den Tisch decken ...

Teilzeitjobs (Seite 142–143)

1 **Lies die Texte und füll die Tabelle aus.**

Name	Wann ?	Wo?	Wie ist es?	Was muss man machen?	Wie viel?
Karsten	Samstags				
Sonja					

> Ich arbeite samstags in einem Supermarkt. Ich muss um sieben Uhr morgens anfangen und ich arbeite bis zum Mittag. Ich muss die Einkaufswagen aufräumen und ich finde es todlangweilig! Ich verdiene 30 Euro pro Vormittag.

Karsten

> Ich arbeite am Wochenende auf einem Bauernhof. Ich muss die Tiere füttern und ausmisten. Es macht Spaß, aber es stinkt! Ich bekomme 100 Euro pro Wochenende. Das ist nicht viel, aber ich brauche das Geld.

Sonja

2 **Übersetz die folgende Sätze.**

1 I work on a farm at the weekend. It's boring and badly-paid but I am saving up for a new computer.

Ich arbeite am Wochenende auf einem Bauernhof. Es ist langweilig und schlecht bezahlt, aber ich spare auf einen neuen Computer.

2 I deliver newspapers every morning. I have to get up very early and it is very badly-paid.

3 I wash cars for the neighbours in the weekend. I enjoy it and it is very well-paid.

4 I work three times a week in a factory. The work is hard and boring.

3 **Hast du einen Nebenjob? Wenn nein, was für einen Teilzeitjob möchtest du? Schreib ungefähr 50 Wörter darüber. Gib folgende Infos:** • wo arbeitest du? • wie findest du es?
• wie viel Geld bekommst du? • was musst du machen?

Ich arbeite samstags an einer Tankstelle ...

Was machst du? (Seite 144–145)

1   Beantworte folgende Fragen. Ganze Sätze, bitte!

1   Wo arbeitet ein Krankenpfleger?

Ein Krankenpfleger arbeitet im Krankenhaus.

2   Wo arbeitet eine Pilotin?

3   Wo arbeitet ein Lehrer?

4   Wo arbeitet eine Sekretärin?

5   Wo arbeitet ein Kellner?

2   Quiz – was ist mein Job? Lies die Texte und rate!

1   Ich arbeite in einem Büro. Ich tippe Briefe, telefoniere, schicke E-Mails und so weiter. Der Job ist nicht schlecht, weil das Büro warm und bequem ist und ich interessante Leute kennen lerne. Er ist aber nicht sehr interessant … _____

2   Ich arbeite auf dem Land. Ich füttere Tiere und miste sie aus. Außerdem fahre ich meinen Traktor und repariere ihn. Ich mag den Job sehr, aber die Arbeit ist schwer und im Winter macht es wenig Spaß. Im Sommer ist er aber der beste Job der Welt! _____

3   Ich arbeite in einer Werkstatt. Ich muss Autos reparieren und lackieren, Ersatzteile bestellen und einbauen und so weiter. Ich finde die Arbeit sehr interessant, weil ich mich für Autos interessiere und weil die Arbeit meistens Spaß macht. _____

3   Lies nochmal und schreib auf Englisch, was jede Person tun muss, und wie er/sie seinen/ihren Job findet.

1 This person has to type letters …

4   Beschreib noch zwei Jobs für das Quiz „Was ist mein Job?". Kann dein(e) Partner(in) raten, was sie sind?

Ich arbeite in einem …

Arbeitssuche (Seite 146–147)

1 Kannst du Jobs für diese Leute finden?

- Helga mag gern Autos und möchte in einer Werkstatt arbeiten. Sie hat Erfahrung als Mechanikerin.

- Johanna ist sehr intelligent und leistungsorientiert, sie hat Erfahrungen als Sekretärin, aber sie würde lieber in einem Geschäft arbeiten.

- Christa ist sehr flexibel. Sie kann gut tippen und sie spricht gut Englisch und Französisch.

- Achim interessiert sich für Technologie und Computer und möchte in diesem Bereich arbeiten.

WIR BRAUCHEN DRINGEND COMPUTERTECHNIKER.
TEL. 98-54-67-38

SEKRETÄR(IN)
für sofort oder später gesucht. Englisch und Französisch in Wort und Schrift, gutes Organisationstalent, Flexibilität erwünscht.
Tel. 56-13-29-46

Haben Sie Erfahrungen als Mechaniker(in)?
Ja?
Dann werden Sie bei uns zufrieden sein!
Nähere Informationen unter Tel. 56-12-05-46

Sind Sie intelligent, leistungsorientiert und engagiert?
Dann ist die Führung unseres Gemüseladens das Richtige für Sie!
24-Stunden Infoband 01674 56-38-58-76

2 Lies und schreib „richtig", „falsch" oder „nicht im Text".

Sehr geehrte Damen und Herren,

ich möchte mich um die Stelle als Tankwart bewerben. Sechs Tage pro Woche sind für mich ideal und ich könnte auch am Abend und am Wochenende arbeiten. Ich lege Ihnen meinen Lebenslauf bei und hoffe, bald von Ihnen zu hören.

Hochachtungsvoll, Karl-Heinz Schuhmacher

1 Karl-Heinz arbeitet im Moment als Tankwart. _____

2 Er möchte als Tankwart arbeiten. _____

3 Er möchte nur drei Tage pro Woche arbeiten. _____

4 Für ihn ist es kein Problem, an Wochenenden zu arbeiten. _____

3 Schreib eine Bewerbung für eine Stelle als Lehrer(in) in deiner Schule!

Sehr geehrter Herr Smith,

Ich möchte mich um …

Am Apparat (Seite 148–149)

1 **Schreib die Nummern von jedem Dienst vollständig.**

*1 Null fünf sechs sieben drei –
fünfundvierzig – siebenundsechzig –
dreiundzwanzig – fünfzehn*

Die Telefonnummer vom Kaufhaus ist
03782-27-12-04-67.

Die Telefonnummer von der Schule ist
01378-52-28-50-49.

Die Telefonnummer von der Pizzeria ist
01567-35-72-61-19.

Die Telefonnummer vom Flughafen ist
05673-45-67-23-15.

2 **Ordne die Sätze, um einen Dialog zu bilden.**

A: Meine Telefonnummer ist 38-92-12-78. Können Sie Frau Becker bitten, mich zurückzurufen? ☐

A: Ja. Mein Name ist Naumann. Heinrich Naumann. ☐

B: Ist in Ordnung, Herr Naumann. Auf Wiederhören. ☐

A: Guten Tag! Ist das die Firma Hackenschmidt? 1

B: Ja, hier ist die Firma Hackenschmidt. ☐

A: Kann ich bitte Frau Becker sprechen? ☐

B: Es tut mir Leid, Frau Becker ist nicht hier. Kann ich etwas ausrichten? ☐

3 **Sieh dir die Notizen an und schreib Dialoge.**

A: *Guten Tag! Ist das die Firma Daimler-Benz?*

Firma: Daimler-Benz (Kontaktperson – Herr Kaiser)
Anrufer: Herr Neubecker (N-E-U-B-E-C-K-E-R)
Telefonnummer: 35-91-73-25
Bitte ausrichten: dringend zurückrufen

Firma: Bayer (Kontaktperson – Frau Schlüter)
Anrufer: Fräulein Göge (G-O-Umlaut-G-E)
Telefonnummer: 47-23-84-56
Bitte ausrichten: nichts (ruft später wieder an)

Das Betriebspraktikum (Seite 150–151)

1   Lies den Text und beantworte die Fragen auf Englisch.

Ich habe in einer Fabrik gearbeitet. Ich bin mit dem Bus dorthin gefahren. Das hat keinen Spaß gemacht, weil der Bus so langsam fährt. Ich musste das Haus um sechs Uhr morgens verlassen und die Fahrt hat eine Stunde gedauert. Dann musste ich noch eine Stunde warten, da mein Arbeitstag erst um acht Uhr begonnen hat! Der Tag war um vier Uhr zu Ende. Ich habe sauber gemacht, im Büro gearbeitet und Kaffee gekocht. Die Arbeit war nicht schlecht und die Leute waren freundlich, aber die Fahrt war furchtbar und der Tag war viel zu lang.

Udo Janssen, 16

1   Where did Udo do his work experience? _In a factory._

2   How did he get there? _____

3   What was the journey like? _____

4   What kind of work did he do (two things)? _____

5   What was the work like? _____

6   What did he think of the working day? _____

2   Füll die Lücken aus, um die Kurzfassung von Udos Tag zu vervollständigen.

Er ist mit _dem Bus_ zur Arbeit gefahren. Er ist um _____ _____ angekommen, aber der _____ hat erst um acht Uhr begonnen. Die Arbeit war um _____ _____ zu Ende. Er hat _____ _____, im Büro _____ und Getränke vorbereitet. Das Personal _____, aber die Fahrt hat keinen _____ gemacht und die Arbeitsstunden waren zu _____.

3   Stell dir vor, du hast ein Betriebspraktikum gemacht. Benutze folgende Satzteile, um das Betriebspraktikum zu beschreiben.

Ich habe mein Betriebspraktikum in einem Büro gemacht.

Ich habe mein Betriebspraktikum in/bei ... gemacht.	Der Tag war um ... Uhr zu Ende.
Ich bin mit dem ... dorthin gefahren.	Die Rückfahrt hat ... Minuten/Stunden gedauert.
Der Arbeitstag hat um ... Uhr begonnen. Ich musste	Der Arbeitstag/die Arbeit/die Fahrt war ... . Die Leute waren ... .

Sprechen

Fill in your answers and then practise and learn both questions and answers to prepare for your speaking exam.

1 Hast du einen Teilzeitjob? Wenn ja, was? Wie findest du es?

_____

_____

2 Wo arbeitest du? Wie lange arbeitest du und wann? Was musst du machen?

_____

_____

3 Wie viel Geld verdienst du? Was machst du damit?

_____

_____

4 Ist Geld für dich wichtig? Warum?

_____

5 Wo hast du dein Betriebspraktikum gemacht? Und was für eine Stelle war das?

_____

_____

_____

6 Und wie hast du die Arbeit gefunden? Hat es dir geholfen eine Laufbahn zu wählen?_____

_____

7 Was willst du machen, wenn du 16 Jahre alt bist? Warum?

_____

8 Was sind deine Träume? Und deine Ängste? Warum?

_____

_____

9 Möchtest du reisen? Findest du es wichtig, andere Leute und andere Länder kennen zu lernen? Warum? _____

_____

10 Möchtest du heiraten und Kinder haben? Warum (nicht)?

_____

Grammatik

1 **These young people are talking about their work experience. Write the sentences in the passive.**

> Ich verkaufe Autos.
> Autos werden von mir verkauft.

1 Ich putze das Büro und tippe Briefe.

   Das Büro wird von mir geputzt und Briefe werden von mir getippt.

2 Ich bediene Kunden und wasche die Gläser ab.

   _____

3 Ich miste die Tiere aus und helfe dem Bauern.

   _____

4 Ich backe Pizzas und wasche die Teller ab.

   _____

5 Ich putze Autos und verkaufe Benzin.

   _____

2 **What would they like to be/do?**

> Ich möchte Lehrerin werden.
> Ich möchte nach Hause gehen.

1 *Ich möchte Arzt werden.*

2 _____

3 _____

4 _____

5 _____

6 _____

Charakter (Seite 158–159)

1   Beantworte die Fragen.

1   Wie findest du deine Mutter?

Ich finde meine Mutter meistens nett, aber manchmal nervig.

2   Wie findest du deinen Bruder?

3   Wie findest du deinen besten Freund?

4   Wie findest du deine Großmutter?

5   Wie findest du deinen Hund?

6   Wie findest du deine Katze?

2   Wie viele Sätze kannst du über die Familie von Thomas schreiben? Achtung! Benutz „der" oder „die".

Mein Vater, der Otto heißt, ist sehr nett.

Mein Vater heißt Otto. Er ist sehr nett, aber ziemlich streng. Meine Mutter heißt Helga. Sie ist manchmal launisch, aber meistens lustig. Außerdem habe ich drei Geschwister – zwei Brüder und eine Schwester. Mein jüngerer Bruder heißt Boris und er ist immer nervig und laut! Mein älterer Bruder, Jens, ist netter, aber er ist auch manchmal nervig! Meine Schwester ist noch ein Baby und sie ist niedlich.
Thomas, 16, Düsseldorf

3   Erfinde eine Homepage über dich selbst. Gib Infos über deine Familie und wie du sie findest, wie sie aussehen, usw.

Peter's Homepage

Hi! Ich heiße Peter. Ich habe ...

Hi! Ich heiße ...	Er ist ...
Ich bin ...	Ich habe ...
Mein Vater/Bruder/Opa heißt ...	... ist (nett/nervig/niedlich, usw.)

Familienprobleme (Seite 160–161)

1 Lies die Sprechblasen und vervollständige dann die Sätze unten.

1 *Du darfst nicht schwimmen gehen!*

2 *Du musst deine Hausaufgaben machen.*

3 *Du musst zu Hause bleiben!*

4 *Du musst draußen bleiben.*

1 Meine Mutter sagt, …

2 Meine Lehrerin sagt, …

3 Mein Vater sagt, …

4 Die Verkäuferin sagt, …

2 Unterstreiche das richtige Wort in jedem Satz.

Liebe Tante Silvia!

Meine Geschwister gehen mir auf die Nerven! Ich würde lieber Haustiere haben als Geschwister! Mein kleiner Bruder wollte gestern mit meinen CDs spielen! Er durfte das natürlich nicht, aber meine Mutter wollte ihm meine Modellautos geben!! Meine Schwester ist noch doofer! Sie ist älter als ich und früher war sie nett zu mir. Jetzt nicht mehr! Gestern wollte sie in meinem Zimmer mit ihren doofen Freundinnen Musik hören. Natürlich durfte sie das nicht – aber jetzt spricht sie nicht mehr mit mir!

Olli

1 Olli kommt a) gut b) schlecht mit seinen Geschwistern aus.

2 Er mag lieber a) Haustiere b) Geschwister.

3 Gestern wollte sein Bruder a) mit Ollis CDs spielen b) mit Ollis Modellautos spielen.

4 Ollis Mutter wollte Ollis Bruder a) seine CDs geben b) seine Modellautos geben.

5 Seine Schwester wollte a) Ollis Handy leihen b) in Ollis Zimmer Musik hören.

3 Was kannst du über deine Familie schreiben? Sag, wie du dich mit den anderen Mitgliedern deiner Familie verstehst, usw.

Ich verstehe mich (nicht) sehr gut mit …

Das ist ungesund! (Seite 162–163)

1   Was passt zusammen?

1   Ich trinke ab und zu ein Glas Rotwein, …

2   Ich trinke gar nicht, …

3   Rauchen und trinken sind okay, aber Drogen nicht.

4   Ich rauche 40 Zigaretten pro Tag …

a   … Drogen sind für Leute, die sterben wollen.

b   … weil ich Alkohol mag. Andererseits rauche ich nie Zigaretten.

c   … weil ich Alkohol nicht mag. Manchmal rauche ich aber ein paar Zigaretten.

d   … weil Zigaretten mir sehr gefallen! Trotzdem weiß ich, dass es gefährlich ist!

2   Lies die Texte und füll die Tabelle mit „ja" oder „nein" aus.

	Bier	Wein	Whisky	Zigaretten	Drogen
Andrea	Ja				
Hugo					

Ich trinke ein bisschen Alkohol, aber meistens nur Bier oder Weißwein. Whisky würde ich nie trinken – igitt! Ich rauche keine Zigaretten und ich nehme keine Drogen. Ich würde Drogen nie nehmen – weil sie gefährlich sind und auch weil sie so teuer sind!

Andrea, 15, Osnabrück

Das letzte Mal, als ich Alkohol getrunken habe, musste ich mich übergeben! Ich würde nie wieder Bier, Wein oder Whisky trinken! Beim Rauchen ist es anders. Ich weiß, dass Zigaretten ungesund sind, aber ab und zu rauche ich. Drogen würde ich nie probieren.

Hugo, 16, Bremen

3   Der Computer hat einen Virus! Kannst du den Text richtig aufschreiben?

Hier sind unsere Tipps für ein gesunde Leben!

_____

_____

_____

_____

_____

Hier sind unsere Tipps für ein ungesundes Leben!

Man sollte:

nie Rad fahren

nie zu Fuß gehen

viel fernsehen

viele Hamburger essen

kein Gemüse essen

kein Wasser trinken

BLEIB UNFIT MIT UNS!!

Rettet die Umwelt! (Seite 166–167)

1 Welche Sätze haben mit Umweltschutz zu tun?

1 Hier gibt es überall Busse, Motorräder und Autos. Man kann kaum atmen! ✓

2 Hier ist nicht viel los, es gibt nur ein paar Häuser und ein Café. ☐

3 Mein Bruder mag keine Haustiere, aber meine Schwester hat einen Hund. ☐

4 Die Hamburger-Restaurants wickeln alles in Pappe und Papier ein. ☐

5 Meine Lehrer sind sehr streng und wir bekommen zu viele Hausaufgaben. ☐

6 Es gibt Obdachlose, die überall in der Stadt auf den Straßen liegen. ☐

2 Lies den Bericht über Rudis Stadt und mach zwei Listen auf Deutsch – das, was gut für die Umwelt ist und das, was schlecht für die Umwelt ist.

Gut	Schlecht
Es gibt relativ wenig Verkehr.	

Hier gibt es keine Fußgängerzone, aber das ist kein großes Problem, weil es relativ wenig Verkehr gibt! Es gibt fast keine Obdachlose – eine Hilfsorganisation gibt ihnen Unterkunft und Suppe. Vielleicht das schlimmste Problem für die Stadt ist der Müll. Es gibt sehr viel Müll. Es gibt vier Hamburger-Restaurants in der Stadtmitte und es gibt überall Plastikbecher und Plastikteller. Viele Jugendliche werfen ihre Plastikteller einfach weg und ich finde das entsetzlich.
Rudi Meyer, 15, Emsdorf

3 Beschreib vom Gesichtspunkt „Umwelt" her entweder die schlimmste oder die beste Stadt der Welt.

In Schmutzburg gibt es keine Fußgängerzone ...

_____

_____

_____

_____

_____

Rettet die Umwelt! (Seite 166–167)

1   Welche sind Umweltprobleme?

1   Wir trocknen unsere Kleidung immer mit einem Trockenautomaten.   ☑

2   Mein Computer ist immer eingeschaltet.   ☐

3   Ich kaufe immer recycelte Waren.   ☐

4   Ich esse nur ökologisch angebautes Gemüse.   ☐

5   Mein Bruder isst immer bei einem Hamburger-Restaurant.   ☐

6   Meine Mutter bringt mich mit dem Auto in die Schule. Es sind fast 500 Meter von zu Hause.   ☐

7   Ich werfe Glasflaschen immer in den Mülleimer.   ☐

8   Wir fliegen immer mit dem Flugzeug, wenn wir in den Urlaub fahren.   ☐

9   Ich trinke viel Wasser.   ☐

10   Ich bade mich zweimal pro Tag.   ☐

11   Ich werfe die Zeitungen immer in den Mülleimer.   ☐

12   Ich lasse fast alles drucken, was ich am Computer mache.   ☐

13   Die Lichter in meinem Haus sind normalerweise alle an.   ☐

14   Meine Stereoanlage ist immer eingeschaltet und immer laut.   ☐

15   Ich bringe meine Plastiksachen immer zum Recyclingcontainer.   ☐

2   Schlag jetzt Lösungen zu den Problemen vor, die du gewählt hast!

Statt alles mit dem Trockenautomaten zu trocknen, könnte man die Sachen raushängen.

3   Was machst du, was gut für die Umwelt ist? Und was machst du, was schlecht ist? Schreib zwei Listen.

Ich bade mich nie ...

Ich fliege oft mit dem Flugzeug.
Ich kaufe immer recycelte Waren.
Ich esse nur ökologisch angebautes Gemüse.
Ich werfe Glasflaschen immer in den Mülleimer.
Mein Computer ist immer eingeschaltet.

Sprechen

Fill in your answers and then practise and learn both questions and answers to prepare for your speaking exam.

1 Beschreib deine Familie. Wie findest du sie? Warum?

_____

_____

2 Welche Leute magst du, und warum? Und wer geht dir auf die Nerven? Warum?

_____

3 Hast Du Haustiere? Magst du Haustiere? Wie findest du die britische Einstellung zu Haustieren? Warum? _____

_____

4 Wäre es besser, unser Geld an Hilfsorganisationen zu geben, als es für Haustiere auszugeben? Warum (nicht)? _____

_____

5 In was für einem Haus oder in was für einer Wohnung wohnst du? Beschreib es/sie? Was sind seine/ihre Vor- und Nachteile? _____

_____

6 Wo liegt es genau? Wie findest du es dort? Was kann man dort machen? Ist es gut für Jugendliche? _____

_____

7 Wie viel Verkehr gibt es in deiner Stadt/deinem Dorf? Wie findest du das? Findest du Luftverschmutzung wichtig oder ist es für die Wirtschaft nötig?

_____

8 Sollte man viel Sport treiben? Sollte man rauchen (usw.)? Warum (nicht)?

_____

9 Ist Gesundheit für dich wichtig? Warum (nicht)? Wie lange möchtest du leben? Warum? _____

_____

10 Erfinde drei Regeln für ein gesundes Leben ... und drei Regeln für ein ungesundes Leben! _____

_____

Grammatik

1 Write sentences. For 2 and 3 you must write TWO sentences.

1

3

Sie ist intelligenter als er. _____

_____

_____

2

intelligent(er als) – clever(er than)
klein(er als) – small(er than)
groß/größer als – big(ger than)
alt/älter als – old(er than)
jung/jünger als – young(er than)

_____

_____

2 What should one do? What should one NOT do? Write sentences.

1 *Man sollte nicht rauchen.* _____

2 _____

3 oft _____

4 _____

5 _____

6 _____

7 _____

Anweisungen   *Instructions*

Ändere den Text/Dialog, um … zu …
Change the text/dialogue in order to …

Ändere die unterstrichenen Wörter, um … zu …
Change the underlined words in order to …

Beantworte die (folgenden) Fragen (auf Deutsch/Englisch).
Answer the (following) questions (in German/English).

Beantworte die Fragen mit „richtig", „falsch" oder „nicht im Text".
Answer the questions with "true", "false" or "not in the text".

Benutze die Texte (unten/oben)/folgende Satzteile (wenn du möchtest).
Use the text (above/below)/following parts of sentences (if you like).

Benutze Wörter aus jeder Spalte.
Use words out of each column.

Beschreib … *Describe …*

Bilde Sätze. *Make sentences.*

… bleibt/bleiben übrig! *… is/are left over*

Der Dialog/die Texte/die Sätze oben/unten wird/werden dir helfen, wenn du möchtest.
The dialogue/texts/sentences above/below will help you if you like.

Erfinde Ausreden/eine Homepage/ähnliche Dialoge/Fragen.
Invent excuses/a home page/similar dialogues/questions.

Füll die Lücken aus, um … zu vervollständigen.
Fill in the gaps in order to complete …

Füll die Lücken mit Wörtern aus dem Kasten/der Sprechblase unten aus.
Fill in the gaps with words from the box/speech bubble below.

Ganze Sätze, bitte! *Whole sentences, please!*

Gib folgende Infos: *Give the following information:*

Gib Infos oder Meinungen (über …).
Give information or opinions (about …)

Jeder Satz muss … enthalten!
Every sentence must contain …

Jetzt beschreib … (wahr oder erfunden!).
Now describe … (real or imaginary!)

Jetzt bist du dran! *Now your turn!*

Kann dein(e) Partner(in) sagen, …?
Can your partner say …?

Kannst du … beschreiben/erfinden?
Can you describe/invent …?

Kannst du den Text richtig aufschreiben?
Can you write out the text correctly?

Kreuz … an. *Cross off …*

Kreuz die doofen Sätze an.
Cross off the silly sentences.

Lies … *Read ….*

Lies den Artikel und beantworte die Fragen unten.
Read the article and answer the questions below.

Lies den Bericht/Brief/Dialog/Fahrplan/Text.
Read the report/letter/dialogue/timetable/text.

Lies die E-Mail/Interviews/Schilder/Sprechblasen/Texte.
Read the e-mail/interviews/signs/ speech bubbles.

Lies die Texte und rate!
Read the texts and guess!

Lies nochmal. *Read again.*

Lies und ordne die Bilder.
Read and put the pictures in order.

Mach eine Liste/zwei Listen.
Make a list/two lists.

Ordne die Sätze, um einen Dialog zu bilden.
Order the sentences to make a dialogue.

Sag, … *Say …*

Schlag … vor. *Suggest …*

Schreib … für jedes Bild.
Write … for each picture.

© Heinemann Educational 2001

Schreib (ungefähr) … Wörter.
Write (about) … words.

Schreib „ja" oder „nein". *Write "yes" or "no".*

Schreib … (richtig) auf! *Write … (correctly).*

Schreib deinen eigenen Dialog.
Write your own dialogue.

Schreib die Nummern … *Write the numbers …*

Schreib die Wahrheit! *Write the truth!*

Schreib ein paar Wörter/Sätze (über …).
Write a few words/sentences (about …).

Schreib eine Antwort (auf …).
Write an answer (to …).

Schreib eine Bewerbung …
Write an application …

Schreib eine E-Mail an … *Write an e-mail to …*

Schreib eine Zusammenfassung …
Write a summary …

Schreib einen Artikel … *Write an article …*

Schreib einen Dialog. *Write a dialogue.*

Schreib für jede Person „ja" oder „nein"/+ oder –.
Write "yes" or "no"/+ or – for each person.

Schreib ihn/sie/es auf! *Write it down!*

Schreib Notizen. *Write notes.*

Schreib Sätze. *Write sentences.*

Schreib ungefähr … Wörter (zu diesem Thema).
Write about … words (on this topic).

Schreib Wegbeschreibungen. *Write directions.*

Sieh dir … an. *Look at …*

Stell dir vor, du hast … gemacht.
Imagine you have been …/done …

Stell Fragen. *Ask questions.*

Übersetze (ins Deutsche).
Translate (into German).

Unterstreiche… (das richtige Wort).
Underline (the correct word).

Verbinde die Satzteile.
Join the parts of the sentences.

Vervollständige den Dialog/Text/die Sätze.
Complete the dialogue/text/sentences.

Wähl … *Choose …*

Was fehlt …? *What's missing (from …)?*

Was für … ? *What sort of …?*

Was gibt es …? *What is there …?*

Was hast du neulich gemacht?
What have you done recently?

Was ist hier Unsinn? *What is nonsense here?*

Was kannst du über … schreiben?
What can you write about …?

Was machst du …? *What do you do …?*

Was musst du (nicht) machen?
What must you (not) do?

Was passt zusammen? *What goes together?*

Was sagt …? *What does … say?*

Was sollte man (nicht) machen?
What should you (not) do?

Welche Bilder sind nicht in Ordnung?
Which pictures are incorrect?

Welches Symbol passt zu welchem Satz?
Which symbol goes with which sentence?

Wer ist wer? *Who's who?*

Wer muss was machen? *Who must do what?*

Wie viele Sätze kannst du bilden/schreiben?
How many sentences can you make/write?

ISBN 978-0-435-36752-7